萧乾 主编

新编文史笔记丛书

第三辑

32

江淮逸闻

安徽省文史研究馆 编

陈基余 李建功 王成志 主编

中华书局

目录

名人轶事

志士流风

政海掠影

文坛杂述

往事钩沉

艺苑旧闻

梨园谈故

山川风景

胜迹考证

江淮特产

序

萧　乾

读书界向来对野史有所偏爱。野史大多是信手拈来的历史片断，且往往出自亲历者之手。文直事核，不虚美，不隐恶，而文笔潇洒自如，意味隽永，自然朴实，篇幅不长；可以摊开来仔细咀嚼，也可供茶余酒后、行旅倥偬中，随手浏览。

鲁迅在《华盖集》中，曾几次对野史表示过好感。在《忽然想到》一文中写道："历史上都写着中国的灵魂，指示着将来的命运，只因为涂饰太厚，废话太多，所以很不容易察出底细来。正如通过密叶投射在莓苔上面的月光，只看见点点碎影。但如看野史和杂记，可更容易了然了，因为他们究竟不必太摆史官的架子。”又在同书《这个与那个》一文中说：“野史和杂说自然也免不了有讹传，挟恩怨，但看往事却可以较分明，因为它究竟不像正史那样地装腔作势。”

全国文史研究馆所编的《新编文史笔记》丛书，内容也属野史杂说的范畴。我们希望这些以亲闻、亲见、亲历为主的轶事掌故、琐闻杂记，写人、事而摒除误会曲解，述历史而符合真实面目。

作为一种短隽有味，文字清奇而又雅俗共赏的文学体裁，笔记在中国具有悠久的传统。它始自魏晋，盛行于宋代。南朝刘义庆的《世说新语》，北宋沈括的《梦溪笔谈》，南宋陆游的《老学庵笔记》，明朝张岱的《陶庵梦忆》，清朝纪昀的《阅微草堂笔记》以及20世纪30年代初丰子恺的《缘缘堂随笔》，都是文学史上的奇葩。然而，近年来笔记乏人问津。因此，我们出这一套书，也包含着挽回颓势之意。

全国三十二所文史研究馆拥有雄厚的稿源，两千多位馆员和各馆联系的社会人士，都是丛书的撰稿人。他们都是文史界的耆宿，见多识广，阅历丰富：有的反对过帝制，有的在“五四”运动中扛过大旗，他们目睹过军阀的横行霸道，也经历过艰苦卓绝的八年抗战。这些历尽沧桑的饱学之士，他们的所见所闻，都是弥足珍贵的史料。

本丛书分辑出版，分别由各地文史研究馆编辑，内容亦以本乡本土为主。因此，各册势必具有浓厚的地方色彩。

本着笔记固有的传统，所收各文题材不嫌庞杂。举凡与文史有关的政治、经济、军事、文化、社会等方面，或记闻见杂事，或叙往昔交游，或忆社会百态，均在搜罗之列。时间跨度则自清末以迄1949年为止。这正是中华民族从闭关自守到走向世界，从落后羸弱到奋发图强，是天翻地覆、风起云涌的大半个世纪。其间，发生过多少可歌可泣的事迹，涌现过多少杰出的人物。以这一时间跨度为背景题材写出的笔记作品，必然是内容最为丰厚的。

在选稿标准上，我们坚持史料一定要真，内容要新；既要防止以讹传讹，也力避炒冷饭。在写法上务求短小精悍、生动活泼。每篇以千字为度，希望借此在文风方面，提倡一下简约。在版式上，则想做到既利于阅读，又便于携带。

恳切希望文史界方家及广大读者，不吝赐正。

孙中山手书“天下为公”扇面

张爱斌

孙中山手书“天下为公”扇面是一件珍贵的革命历史文物，现在安庆市收存。

“天下为公”扇面，是孙中山 1912 年为邓素存所作。素存，名质仪，桐城杨桥人，清末留学日本，1905 年加入“同盟会”，与孙中山关系密切。辛亥革命胜利后，孙中山就任中华民国临时大总统，邓在总统府任职，孙为邓书写“天下为公”扇面。上款为“素存先生属”，下款署“孙文”，并钤印一方。抗日战争后，邓隐居故里，1953 年卒于安庆，终年七十岁。

邓一子三女:长子梦九曾任台湾军职,长女在北京,次女在济南,小女爱菱在安庆。这幅扇面为素存临终前交给爱菱的。扇面历经八十多年,仍保存完好。1966年春,爱菱写信给宋庆龄,准备献此扇。同年5月30日,南京"纪念孙中山先生诞辰一百周年筹备会"依宋庆龄嘱来函商取,不料爆发"文化大革命",未能如愿。

1984年,爱菱和丈夫陈兰生,将此扇面送市有关部门鉴定,确认为孙中山手迹。

陈独秀倡建爱国会

谢顺生

1901年2月,沙俄违背《交收东三省条约》(又名《撤兵条约》)规定,拒绝撤出侵占我国东三省沙俄军队,还向清政府书面提出七项无理要求,妄图全面剥夺中国对东三省主权。消息传出,全国人民义愤填膺,掀起了近代一次规模较大的、持续五年之久的群众性反帝爱国运动——拒俄运动。由陈独秀发起的,以拒俄爱国为宗旨的安徽爱国会,亦于1903年5月在安庆成立。

是年5月17日,刚从日本回国的陈独秀联络了一批爱国人士,在安庆拐角头藏书楼举行集会,发表演说,有三百余人到会。

会上，陈独秀首先宣读了北京京师大学堂师范、仕学两馆学生给各省学生的公函。接着，他逐条批驳了沙俄提出的七项无理要求，揭露了沙俄在东三省的侵略罪行。他还提出要广通消息、激励众人爱国心志、增强人们的体魄等三条具体意见。陈独秀的演讲，词情慷慨，引起满座欷歔。接着，王国桢、潘晋华等二十余人也发表了演说。

演讲结束，陈独秀发起成立爱国会，当场在《爱国会会员名簿》上签名者即达一百三十六人。会议决定在爱国会中分设演说、体操各会，并创会报《爱国新报》，公推陈独秀、潘晋华等七人起草《爱国会章程》。会议宣告：安徽爱国会拟与上海的爱国学社一道，联络东南各省志士，创国民同盟会。《苏报》当时载文称赞这次大会"规则整严，精诚团结，此吾皖第一次大会，而居然有如许气象，诚为难得"。

各地拒俄运动，沉重地打击了沙俄吞并我国领土的野心，深刻地揭露了清朝统治者对内镇压、对外投降的反动面目，因而遭到了清政府的蛮横镇压。安庆知府桂英赶到藏书楼禁止爱国人士演讲，并贴出告示，悍然宣布解散安徽爱国会，封闭藏书楼，将房产充公，逮捕学生数人。同时，安庆高等学堂开除了十多名参加拒俄运动的学生，其他各校亦有少数学生被开除。但是，陈独秀等人并没有屈服，全国人民终于将爱国救亡运动发展为资产阶级民主革命。

陶行知不主张“教育救国”

唐大笠

安庆市图书馆藏《陶行知先生讲演词》,刊载了陶行知1918年5月第一次来安庆为省立第一师范学校和省立第一女子师范学校所作的讲演。讲演词由一师学生陈世勋、谢荣观等记录整理,共分《教育是最有效力的事业》、《教育为制造社会需要的事业》等六个部分,约三千余言。

过去都说陶行知一贯鼓吹“教育救国”,看了这篇讲演词,才知他是反对这一提法的,他主张“教育造国”。他说:“鄙人谓教育能造文化,则能造人;能造人,则能造国。今人皆云教育能救国,但救国一语,似觉国家已经破坏,从而补救,不如改为造国。造一件,得一件;造十件,得十件,以至千百万件,莫不皆然。贫者可以造富,弱者可以造强。若云救国,则如补东拆西,医疮剜肉,暂虽得策,终非至计;若云教育造国,则精神出趣味生焉。”

陶行知终生致力于教育事业,他的这篇讲演词,后人读之,仍获教益。

陶行知诗勉章衣萍

吴海发

陶行知与章衣萍同是安徽人,结识于北京。20 年代初,衣萍旁听于北京大学文学院,边学习,边从事文学创作和翻译,先后出版了《情书一束》、《少女日记》、《樱花集》、《种树集》等著作。但是,他的书多写男女情爱,缺少积极的意义。尽管像《情书一束》被当时的苏联译为俄文出版,衣萍又在《旧书自序》中自我炫耀,却遭到鲁迅等人的批评。陶行知虽然支持他从事文学创作,但是希望他走出个人主义情调的小天地。

1924 年冬,行知与衣萍同乘火车南下,谈得极为投机,衣萍请他写诗留念,行知立即写诗以勉:“休作儿女态,休洒柔情泪。拿出双板斧,开辟新天地。”前两句容易理解,后两句则需解说。

20 年代初,白话诗兴起,胡适的《尝试集》、康白情的《草儿》、郭沫若的《女神》等诗集相继出版,促进了新文学蓬勃发展。但是反对派仍然冷嘲热讽,肆意诋毁。当时有张耀翔,在《心理》杂志著文,对新诗大张挞伐。他抓住新诗中多用惊叹号,讽刺说“缩小看像许多细菌,放大看像几排弹丸”。认为多用惊叹号的白话诗是“亡国之音”。衣萍也是新诗作者,在鲁迅等人编辑的

《语丝》上发表过许多新诗。他奋起反击，在《晨报副镌》发表《感叹号与新诗》一文，针对张耀翔所谓“亡国之音”，用幽默讽刺的笔法，提出请愿政府明令禁止做白话诗、用感叹号。“凡做一首白话诗者打十板屁股；凡用一个感叹号者罚洋一元；凡出版一本白话诗集或用一百个感叹号者，处以三年的监禁或有期徒刑；出版三四本白话诗集或用一千个以上的感叹号者，即枪毙或杀头”。衣萍文章刊出，社会反响强烈，《晨报》上有文章称他“砍了一板斧”。陶抓住这个事例入诗，鼓励他在积极进取的道路上走下去，开辟出一个新天地。

很遗憾，后来章衣萍再也没有提起板斧！

蔡元培为常宗会夫妇书写证婚颂词

陈保胜

1927年元旦，东南大学教授常宗会博士和蚕桑技术员胡蕴华女士在南京结婚，证婚人为蔡元培。时军阀孙传芳欲加害蔡元培，蔡乃派其子无忌代表出席婚礼并宣读证婚颂词：“社会组织，托始夫妇。互尊人格，互尽义务。互谅所短，互认所长。亲爱不渝，幸福无疆。”

1939 年 8 月 15 日，八十一岁的蔡元培见到常宗会，特补书此词并加《后跋》："中华民国十六年一月一日，宗会先生与蕴华女士结婚，元培被邀为证婚人，曾有颂词，二十八年八月十五补书之，仍请宗会先生与蕴华夫人俪正。蔡元培。"

常宗会，安徽全椒人，早年留法，获博士学位。回国后曾在东南、中央、中山、云南大学及哈尔滨农学院、南京农学院任教，著作甚丰。

此颂词原件现由常宗会之子、澳大利亚华裔学者协会会长常生博士保存。

林森经青阳游九华

刘子成

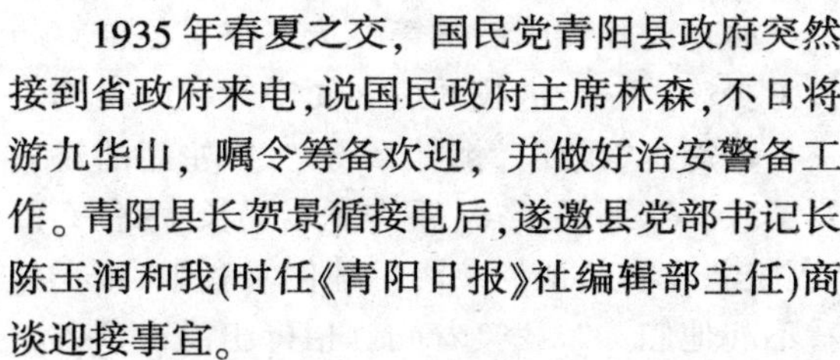

1935 年春夏之交，国民党青阳县政府突然接到省政府来电，说国民政府主席林森，不日将游九华山，嘱令筹备欢迎，并做好治安警备工作。青阳县长贺景循接电后，遂邀县党部书记长陈玉润和我(时任《青阳日报》社编辑部主任)商谈迎接事宜。

第三天上午 9 时，青阳街道两旁单位住户门前悬挂国旗。中小学校、机关、团体、自卫团人员全部出动，集中北门外青通河大道两旁候迎。县政府官员排列在前，群众随后，学生、士兵手执校旗、队旗，还有笛鼓军号等。队伍长达两里，场面极为热烈。

10时许，一行大轿迎面而来，总指挥立即发出“立正”、“奏乐”的口令，顿时，军号鼓乐齐鸣。欢迎队伍肃立致敬。

俄顷，一顶顶绿呢大轿，在欢迎队伍中间鱼贯前进。第一顶轿坐的是十九岁小姑娘，林的外甥女。第二顶轿内端坐银发长须的林森，点头向大家致意。林的轿外，还有位身穿制服的地方长官，一手扶着轿杆，一手抓着礼帽，代林答礼，频频向大家点头，不住地说“谢谢，谢谢”，此人即省主席刘镇华，他坐的第三顶大轿自然空着。第四顶到第六顶轿内，分别坐的是国民党政府文官长魏怀、参军长吕超和省党部书记长李应生。

大轿后面跟着十多位随行人员，但没有武装卫士。欢迎队伍一直跟在大轿后面，直到为林森预备的“行馆”门前才解散。下午2时许，林森离开青阳，次日登山。我们送走林森后才回家。

林森离开青阳后的第二天下午，县警察局长王少珍，一走进我的房间便说：“我昨晚倒了一个大霉。”我问：“倒什么霉？”“林主席的轿夫骂了我。”“那还了得，轿夫竟骂局长，为什么？”“因晚餐没有给他们拿酒，他们骂我眼睛向上，看不起他们。”我笑着问：“招待组没有预备酒么？”他说：“哪里是，招待组各种物品，都预备得很充分。是我一时大意，没叫人给他们拿。”我便开玩笑说：“局长大人，这是你的不是了；轿夫一天到晚把肩膀给人家当大路走，辛苦极了，你不拿酒，不是看不起他们是什么呢！挨骂，那就不冤枉了！"我说后，哈哈大笑起来。他也无可奈何地笑着打自己的头说："骂的对！骂的对！也不要我的钱，为什么不给他们拿酒呢，自食其果。"

林森在九华山游览了三天，取道贵池，乘舰回京。

戴传贤隆阜祭祖

戴稼毅

民国二十三年(1934)清明节前几天，国民政府考试院院长戴传贤，与监察院院长于右任等到黄山旅游。戴余兴未艾，又由黄山建设委员会主任许世英陪同，来屯溪游览，下榻黄山旅社。

传贤知郊区隆阜村有戴氏荆墩宗祠及戴震读书处、东原图书馆等名胜古迹，故决定到隆阜祭祖游观。第十区保安副司令汪汉于前一天派人去隆阜，通知该村联保主任戴道游及族长戴云卿等作好接待准备。翌日上午8时前，戴族知名人士立庭、琴泉、书甫、颂平、吉甫等迎候村口。8时半戴传贤及考试院副院长钮永建等由汪汉陪同，卫兵护送到隆阜，即被请到隆阜村口戴氏荆墩宗祠(今徽州师专内)大厅休息，进茶点，再行祭祖仪式。传贤向祖先楼四跪八拜，献香三炷。永建虽不姓戴，也陪同进香一炷。

仪式结束，举行座谈，由道游简介隆阜村历

史沿革、人文地理，云卿详细叙述戴氏源流及支丁繁衍情况，立庭对新编修的《戴氏宗谱》(初稿)作了说明，琴泉着重谈了戴震的生平史略及东原图书馆筹建概况。传贤听后，极为满意，并在新编修的《宗谱》初稿上题字留念，文曰："三十四世裔孙传贤于民国二十三年三月×日至隆阜荆墩宗祠祭祖。"传贤将去，赏守祠户马老六银元十块，且谆谆嘱咐要搞好宗祠环境卫生和保护工作。

戴传贤一行还漫步宗祠四周，对环绕村口的参天大树、村口的穿道阁楼(有匾曰"礼门")及曲水斜坡矗立的似塔形高约十米的二层八角亭备加赞赏，认为："斯地风景优雅，宜乎地灵人杰。"一再叮嘱同行族人和驻军要注意保护，勤加修葺。并登八角亭楼，浏览山光水色，眺望屯溪古大桥与华山林木自然景观。又到"三甲"戴震先祖的支祠瞻仰一番。1924年纪念戴震诞辰二百周年庆祝祭典在此祠举行，由族人作了介绍，传贤也颇感兴趣。后在戴震读书处、东原图书馆(今戴震纪念馆)一览离去，时已午前11点半。传贤临行，还将随身佩带的一等金质云麾勋章交给我先父云卿转赠宗祠，既以纪念，且勉后裔。

毛夫人进香九华山

刘子成

1935年仲夏的一天，我得知蒋介石原配夫人、蒋经国生母毛福梅氏，要于次日由南京经青阳到九华山朝佛进香。我在《青阳日报》社工作，职责所在，乃于次日中午去汽车站采访。

下午3时许，有两辆汽车，由芜青公路驶抵青阳站。小车走出两位妇人，后面大轿车走下四五个随员，簇拥她俩，进入街口青阳旅馆。我投名片访问，一中年妇人出来问我："你是《青阳日报》社刘主任吧？"我答："是的。"并说："闻知毛夫人经此到九华山，特来拜谒。"她听后，即自我介绍，说："我是毛夫人的私人秘书，毛夫人因旅途劳顿，身体不好，极需休息，派我接见，请你原谅。"

彼此坐下，我问："毛夫人到九华山全为进香吗？"她答："是的。毛夫人一向信佛，名山佛寺，都想朝拜。这次全为进香礼佛。"我又问："毛夫人是几时到南京的，在九华山住几时？"她答："三天前由溪口到南京，休息两天来贵县，大约在九华山住个把星期。"

以后她向我询问许多九华山名胜和佛教等事，我尽所知告诉了她。谈了十多分钟，便起身告辞。次日，我打电话通知驻九华山的外勤记

者，要他跟踪采访报道。当毛夫人乘藤轿上山时，佛教会已组织寺僧在山口恭迎。毛夫人下轿趋前致谢，旋被迎入祇园寺精舍下榻，该寺住持殷勤招待。

第二天上午，毛夫人在大和尚引导下，到各大寺庙随喜、参佛，并游山景。僧尼敲钟擂鼓，诵经祈祷，举行庞大的佛事活动。毛夫人斋戒沐浴，顶礼叩拜，祈祷三事：国家太平，人民安乐；蒋氏祖先，早日升天；夫君儿孙，健好多寿。

最后一天，为斋僧日，毛夫人预备大量丰富的素食菜饭，邀请全山僧尼赴斋，从早至晚，轮流不绝，只要来僧尼三五人，即开一桌，并发给每人力士鞋一双，银元两枚。一日间，共发力士鞋一千二百余双，银元二千四百多元。当时九华山没有这多僧尼，就有人借穿僧尼衣服，前往就餐冒领。

离山前，毛夫人问住持："诵经费多少？"回答："夫人这次叫我们做佛事是祈求国泰民安，尼僧本应尽力。昨天已经赏赐财物，我们怎敢还要诵经钱呢？"毛夫人说："那好，我向大家谢谢。不过我也应向各寺庵捐献香火费，聊表心意。"于是根据寺庵大小、僧尼多寡，予以捐助，并当即发给，僧尼皆大欢喜。毛夫人此次在九华，用去数万元之多。离山时，欢送僧尼比来时更多。下山至五溪公路，即乘车回京，过青阳时也未停留。

周叔弢潜心护国宝

张书启

周叔弢(1891—1984)名暹，安徽东至县人。早年主持青岛、天津纱厂与洋灰公司，建国后曾任天津市副市长、全国政协副主席。虽是著名实业家，却与书结下不解之缘。他从三十岁开始收集善本书，一生经营企业所得，大都用于购书。每遇铭心绝品，孤善秘本，往往不惜重金，倾囊以购。

抗日战争前，他收入颇丰，可是善本书价高，且需费力才能得到，宋、元本书一部要几百元乃至几千元之多。1933年，他为了购买宋刻汤汉注《陶靖节先生诗注》，便借债四千元。又一次，北平书商从上海买到宋余仁仲万卷堂刻本《礼记》带到天津，周毅然以万元高价买下，并记"卖书买书，其情可悯，幸《礼记》为我所得，差堪自慰。衣食不足，非所计及矣"。

对流出国外的善本，他更是竭力买回。抗战前，日本东京文求堂田中庆太郎从我国买去一批古籍，他得知后，以大价收回了宋本《东观余论》、《山谷诗注》、汲古阁影宋抄本《东家杂记》等书。还有一部宋本《通典》，索价万元，一时筹款不及，后被日本文部省定为"国宝"，无法买

回,他多年之后仍有遗憾。

好书既得之后,又精心用樟木夹板、楠木书匣装起,再摆进樟木或楠木书箱,保护周勤。无论自己或别人要看,均须遵守六勿之戒(勿卷脑、勿折角、勿以手侵字、勿以唾揭幅、勿以作枕、勿以夹刺)。书上盖章也十分慎重,早年他用过一枚长方阳文的“曾在周叔弢处”图章,后来在善本上就只用一枚方形“周暹”两字白文小印,说因为小,不至损书过甚。连用印泥也十分讲究,在善本书上用的印泥,是他二十几岁在上海西泠印社所买,就是因为它不变色,也不渗油。

令人敬佩的是他竭数十年心力,得许多精品,不是为附庸风雅,也不希望“子孙永宝”,而是为了避免这些国宝落入市侩之手,或流到国外;同时也为了从私藏变为公藏,以供群众阅览。早在1942年他曾在手订书目上写下嘱咐子孙的话:“生计日艰,书价益贵,著录善本或止于斯矣。此编固不足与海内藏家相抗衡,然数十年精力所聚,实天下公物,不欲吾子孙私守之。四海澄清,宇内无事,应举赠国立图书馆,公之世人,是为善继吾志,倘困于衣食,不得不用以易米,则取平值也可。勿售之私家,致作云烟之散,庶不负此书耳。”建国后,他实现了这一夙愿。从1952年到1981年,他先后几次把自己最珍贵罕见的刻、抄、孤、善、校本,所有藏书近四万册全部献给国家。事后,他曾说过,捐书之时何尝没有不舍之意,也打算留一两部;但想既然捐书,贵在彻底,所以决心全数捐出,一本不留。一生

收书为捐书。周叔弢不仅是古籍文物收藏家,更是民族文化的保护者。

黄炎培视察省立二师

郑示言

黄炎培,是著名教育家,中华职业教育社创始人。1914 年曾到屯溪视察安徽省立第二师范学校。黄炎培到屯溪,次日大雨,仍去二师,在欢迎会上作了题为《敬希诸君各自求切实平易之学问道德以化于乡里》的演说。校长胡晋接评他的演说为"恳切透辟,得未曾有"。教务主任方新在欢迎词强调:"远道翩然直接为教育考察而来者,今仅先生一人,先生殆不啻有冒险探极之精神,来寻此桃源者。"对黄炎培称赞不已。

黄刚到二师,便对一事有好印象。学校规定 4 月 1 日至 7 日是春假,学生如期返校。这在交通方便之地原不足奇,而在徽州却不容易。黄在《视察日记》中写道:"春假期,六邑交通梗塞,师范生距校远者,七天仅足往返,及时到校,届时开课,百余人无缺席,甚有一日行百里,此则训育成功之实况也。"黄炎培经过考察,了解办学特色,十分赞赏。二师治校甚严,师范生毕业之后,必须以"改良社会"、"提倡实业,振兴生产"为天职。在品德教育方面,提倡"守信耐劳,知行并进”。教学中，提倡乡土教育，不仅课堂上要讲乡土历史地理，每年春秋两季，都要组织学生旅行修学，实地了解历史地理。高年级生于假期，还要对当地经济、文化状况进行调查，写出报告。自然学科方面，要学生采集当地农、工、矿物，自制标本；既培养学生操作技术，又调查本地出产。

黄炎培将黄山僧人所赠茶叶和木莲果转赠二师学生作为标本。后来，黄致安徽省政府信，极力推崇二师校长胡晋接、教务主任方新，苦心擘画，勤恳周至，出省所见师范，此其第一！二师得到他的赞誉介绍，立即受到省政府嘉奖，并被指定挑选乡土动植矿物标本一百多种，参加“巴拿马万国博览会”。

冯玉祥兼任小保长

常法廉

1937 年 11 月，上海、苏州相继失守，首都南京受到严重威胁。国民政府迁渝，山城陡然人山人海。上寺街住有张治中、陈诚、何应钦、冯玉祥等高级将领和不少军政要员。

我叔父常任侠，即住上寺街萱舍。我原服务于第五战区政治部，被调去重庆青木关“中央训练团青干班”受训。星期日，常去看望叔父，萱舍就像我战时之家。

那时每月初举行国民月会，由保长通知各家都要去一人听会，到会以后报告人数；哪一保人到不齐，保长轻则挨训，重则受罚。上寺街住的都是军政要员，保长不敢通知；即使通知，也无人理睬。为此，保长经常挨训、受罚，想辞又辞不掉，实在左右为难。

有一次，在召开国民月会的前两天，上寺街这位保长受人指点，前往拜会副委员长冯玉祥，详说为难之处，请求准他辞去保长。冯玉祥思忖片刻说道："你辞，谁干呢？"保长大胆地说："谁都不敢干，只有副委员长可以当。"冯笑了，风趣地说："我称职吗？"稍停又讲："那你就向你的上级报告，叫他委我当保长吧。"

保长喜出望外，遂把情况汇报上级，复准一切照办，于是冯玉祥正式当了保长。副委员长当小保长，一时山城传为佳话。这次的国民月会由冯玉祥保长通知，一齐集合，由原保长率领到会。果然，连张治中、陈诚、何应钦等重要大员，即使本人不在，其家属也来参加，此次月会人数空前整齐，全保没有一户不到会的。

冯玉祥与荣德生的一段交往

吴海发

爱国将领冯玉祥，曾经高度评价荣德生的功绩，称他为“眼光远大的爱国的实业家”，流露了对荣德生的深情厚望。

1937年，抗日洪波兴起，冯玉祥由故乡安徽巢县竹柯村回到南京，担任中央军事委员会副委员长。4月间因公到浙江奉化，回途经过苏州，荣德生闻讯，虽年过六旬，仍立即前来，邀请视察无锡。冯于4月20日下午4时到达，在无锡梅园通幽堂，对随行同志说：“口渴的来喝水，不要拘束，这儿就像家里嘛。”在梅园内游览时，五十六岁的冯玉祥与荣德生边走边谈笑。晚间，荣德生为冯玉祥举行宴会。荣德生拗不过冯玉祥一贯节俭的主张，席上并没有什么山珍海味，仅设六盘菜肴，晚宴十分融洽、热烈。

次日，荣德生陪冯玉祥游览了鼋头渚、宝界桥、蠡园等风景区，随后进城，视察申新三厂的劳工实验区、申新工场等。冯玉祥看到申新三厂机器良好，设备完善，规模宏大，组织严密，工人操作熟练，很高兴，当即对工人发表演说。他在列举申新三厂的优越之处后，赞扬荣德生发展民族工商业的贡献时说：“荣先生是眼光远大的爱国的实业家……”冯玉祥还阐述了他的“民族统一,一致对外”的抗日主张。他号召劳资双方在抗日的旗帜下团结起来,相助相谅地共同与日本帝国主义抗战。冯玉祥全面正确地论述了当时的劳资关系,博得了工人的鼓掌。

当日下午,冯玉祥离开无锡,经宜兴回宁。荣德生赠送了育蚕指导的书多种,并把申新厂的四担优良棉种赠送给冯玉祥带回巢县推广。

李宗仁到我家

吕次山

抗日时期,李宗仁任第五战区司令长官。1943年初秋,他在大别山视察防务后回重庆,经临泉吕寨。甥媳蒋华秀(蒋介石侄女)、外甥韦永成(时任省民政厅长)陪同,随从二十多人。原计划由吕寨东南三十里李集机场乘飞机去重庆,因飞机未来,都住吕寨我家等候。

李宗仁和韦永成夫妇进我书房,看藏书颇多,李随手翻阅,见《故宫周刊》有很多照片,高兴地说:“北伐时进攻北京,我走西路,由京汉线北上,何应钦走东路,从津浦线北上。我们二人像赛跑一样,看谁先进京。结果我先到。故宫我去过,只是走马观花。”他问我:“你也到过故宫吧?”我说:“1923年冬在北大读书时,从神武门

前经过，见有盛装艳服宫女不断走出，或喜笑颜开，或泪痕满面。后知，这是放出的宫女。那哭着的是因自己的包袱不让带。”华秀说：“东西算什么，能比自由好？”我接着说：“后来清宫改为故宫博物院，我也参观过。前人说‘不睹皇居壮，安知天子尊？’真个不假。”

九十二军军长兼鲁干班主任李仙洲得知李宗仁来吕寨，特赶来设宴欢迎，并邀我作陪。落座后，李仙洲首先说：“我前时从重庆出发，校长(蒋介石)讲：仙洲这次到山东去，酒少喝。我报告校长：日寇不灭，我滴酒不进。今天德公(宗仁字德邻)来了，请吕先生代我敬德公一杯。”话音刚落，他的副官就给李宗仁斟满一杯，给我也斟一满杯。李宗仁站起来，碰杯后一饮而尽。我本来没有饮酒习惯，也只得饮了，不料酒是甜的。李宗仁讲：“我回敬一杯！”李仙洲说：“我还请吕先生代饮。”事后，仙洲副官对我言：“我知你不能饮酒，给德公斟的白兰地，给你斟的是白糖水。”我讲：“谢谢！你真会办事。”次日上午，飞机还没来，李宗仁约我游玩田间。农户都忙于耩麦，耧铃叮当响个不住。到达地头，见两位农民扶耧，牵牛，正种小麦。李问：“这是干什么？”我说：“这是种麦的。”李说：“我家小麦是撒种，无此种法。咱们试试好吧？”于是我牵牛，他掌耧，耩起麦来。还没两丈远，他就说：“不行！不行！种得不成行，人家会骂我们哩！”我一看，他耩的麦行，弯弯曲曲，深深浅浅，笑着说：“不会骂的，他们都是我的亲邻。”

午饭后，李宗仁来我书房，高兴地给我题校匾“明强中学”四个大字(我时任明强中学校长)，还写了个条幅，文词是从《蒋中正语录》上抄的，写完，他说：“写得不好，只是作为纪念罢了。”

在吕寨候三天，飞机还没来。第四天早晨，李一行只得由陆路回重庆。我和李仙洲送到寨西，握手告别。

张治中幼年轶事

陈锡银

张治中祖居巢县张家畈，后迁巢湖之滨洪家疃。父为篾匠，因家乡生意清淡，无法维持，全家从巢县迁居合肥西南丰乐镇，租三间草屋，开篾匠铺。

1890年张治中生于丰乐镇，乳名“金犬子”。六岁开蒙，从丰乐镇唐思安读私塾；所教课文，一读就熟，一点即明。某日，一位混江湖的穷教书先生到私塾刁难唐，提笔写一上联：“两脚奔波，走遍东南西北。”恰巧治中来到，唐即说：“金犬子，你把桌上先生的对子联一下。”他看后提笔立书：“一心求学，不问春夏秋冬。”刁难者羞惭满面，立即走了。

蒋经国侧记

方庆廷

1937年抗日战争初期，蒋经国从苏联留学回国，至1949年由成都随父去台，其间先后担任过国民党军政要职。在蒋经国任中央干部学校教育长和国防部预备干部局局长时期，我曾是他的学生及其秘密核心组织“中正学社”副职，相处近五年，交往较密。兹忆所见所闻，略述一二。

拳打美国兵

1941年珍珠港事件后，美国对日宣战。在亚洲战场，中美联合作战，以陈纳德将军为首的“美国空军志愿援华大队”到了重庆、成都等地。蒋介石为美国空军盖了一幢大楼，坐落在重庆西路复兴关遗爱祠附近。大楼戒备森严，不准中国人通过；如果误入其境，轻则遭到美国哨兵呵斥、拘押，重则鸣枪射击。

1944年初的一天，蒋经国身着普通工人服装，头戴鸭嘴黄帽，自驾小吉普车，直驶该楼找陈纳德将军。车到大门前停下，蒋未见人迎接，站了一会，四方张望，仍无动静，只好步入大门。

这时，躲在门旁林荫里的美国哨兵，突然钻

出，十分粗野地拦住去路，两人争执起来。那个哨兵不容分说竟一拳打来。蒋经国自然不吃眼前亏，于是一场拳击便开始了。那哨兵自恃身材高大，以老鹰扑鸡之势冲来。蒋懂些少林拳术，便一个扫腿迎去。复兴关是山地，坡度大，这一腿扫得那哨兵仰面朝天，重重跌倒在地。哨兵恼羞成怒，竟拔出手枪，瞄向蒋经国。正在这时，一个美军副官奉陈纳德之命来大门前接待，才制止了哨兵的暴行。蒋经国拳打美国兵，一时在其部属传为佳话。

和士兵同餐共寝

1945年春的一天，蒋经国以青年军总政治部主任名义到四川永康县青年军二〇三师视察，师部全体官员热情接待，晚间备丰盛宴席。当入座时，却不见蒋经国。时师部警卫部队已开晚饭，各班围着菜盆，蹲在地上用餐，蒋正在其中与士兵共食。师长闻讯前来恭请，蒋站起抹抹嘴、挥挥手说："不用了，我吃饱了，你们请用吧!"师长大为扫兴。

晚上，师部为他安排了舒适的床铺。可是他又悄悄地走进炊事员卧处，和一个伙夫睡在一起，谈些琐事。师长连催几次也请不动，只好听任其便。

蒋经国与士兵同餐共寝，在二〇三师大得军心，声誉显扬。人们认为，这种工作作风，可能与他早年留苏所受教育有关。

程家柽力促同盟会成立

张　珊

程家柽(1874—1914),字韵生,安徽休宁人。少随绩溪胡卓峰学习《公羊》,又从学仁和举人谭献,“洞悉古今中外兴亡之理,喟然以君主专制不足为法,必以大道为公之心为天下倡”,以徽处万山之中“不足言事者”,乃至鄂考为上舍生,后以官费留学日本。

时孙中山在横滨,与学生无联系。程百计找寻,经广东香山(今中山市)三合会郑可平介绍,于1900年夏始得见面,聆孙讲三民主义、五权分立、铁路国有之说,茅塞顿开,认为孙一定“可达其志”，愿“毕生以事斯”，并建议“树党全国以传播之”。此时，孙仍主张依靠会党。

1904年冬，黄兴、宋教仁、田桐、白逾桓、但涛等都到东京，知留学生不下万人，想组织一个会党，作为领导中国“革命之中坚”力量。程力阻其议，谓孙于革命名已大震，等孙回日，成立政党，奉为首领，事业必成。

次年7月15日，孙中山到横滨，程请孙、黄、宋、田、白、但等在己寓，研究组织政党办法。但孙初衷不变。程主张：“欲立革命之中坚，即联合革命为大体。”会后孙认识转变。28日委托程约宋教仁在《二十世纪之支那》社见面，愿以联合为宗旨，并定7月30日在东京赤坂区日友内田良平宅(悬黑龙会牌)，再开会讨论。

届时，孙中山、黄兴、程家柽、曹亚伯等七十余人到原订地址开同盟会筹备会议。孙首先演说革命理由、形势和方法。曹发言：“凡汉人都应驱除异族，恢复河山。”黄宣布：我们今开会为着“结会”，涉及革命后的教育、实业、内政、外交。日友宫崎寅藏拿出纸说：“同意成立政党者签名!”但众皆犹豫。曹愤起第一个签名说：“凭吾良心签字。”程也说：“凭吾良心签字。”其他人皆依次签名，会上决定成立新政党“中国同盟会”，以“驱逐鞑虏，恢复中华，创立民国，平均地权”为政治纲领。个人又写出誓词。推黄兴、程家柽等六人起草会章。

8月13日，留学生、华侨一千三百多人，在东

京富士见楼召开大会，欢迎孙中山莅临。程发言指出："革命必须联合，义旗一举，各地皆应，旬日之间，可摧虏廷，设革命本部于东京，设分部于通商口岸；留学生遍二十二省，成立分部，不谋而成。"整个会场一致叫好，"鼓掌之声，上震瓦屋"。程的发言为会章通过制造了舆论，"孙文大悦"。

8 月 20 日，孙中山在东京赤坂区灵南坂本珍弥宅，主持召开中国同盟会成立大会。黄兴宣读会章草稿，正酣畅时，忽有心怀叵测者向孙提问："他日革命告成，先生为帝王乎？抑为民主乎？"刹时宣读声"忽如裂帛而止"，机智的程家柽立即辩释："今日之会惟研究对清廷应否革命，不当问孙先生以帝王、民主也。"经程一说，风波遂息。

大会推孙中山为同盟会总理。下设执行、评议、司法三部。执行部孙兼，该部又分庶务、书记、内务、外务、会计、经理六部。庶务黄兴(可代行总理职权)，书记胡衍鸿，内务田桐，外务程家柽，会计廖仲恺。各省建立分会。此后，同盟会便在全国发展起来。

徐锡麟殉难后的余波

凌孔彰

1907 年徐锡麟起义失败后被杀害，与他同时被捕的安徽巡警学堂革命学生二十余人，虽在狱中，仍坚持斗争，闹吃，闹喝，砸窗子，高喊“还我会办！我们无罪！我们要回家！”既骂又唱，闹得狱吏不敢阻止。

巡抚冯煦也摇头叹气，无法对付。皖绅洪斋对冯煦说：“在押的都是青年，千万不能株连办他们罪，否则必有后患，你要慎思。”冯答：“放他们并非难事，怕他们出去又要胡闹，怎么办？谁敢担保？”洪拍胸说：“我敢担保！”被囚学生遂得释放。

学生出狱才三四天，就推七位同学，成立一个小组，由徐立文领导。因有人监视，城内不便活动，只好在西门外二里半竹林深处密议，后称“竹林会”，进行革命斗争。闻抚台衙门要掘徐烈士墓，“竹林会”决定多筑疑冢，迷惑敌人，连夜动手，把马山徐烈士坟搞平，上铺草皮，如同平地；把稍远的七八处老坟加培新土，作为疑冢，每日派一同学在山上瞭望。抚衙差人去过两次，不能认定徐墓，难以下手。附近农民倘见谁欲掘坟，便喊：“不管什么人，不许掘我们祖坟。”徐烈士墓赖以保存。

1912年浙江都督派员会同烈士胞弟锡骥乘兵舰来安庆，取烈士遗骸回葬原籍。孙中山也从南京派专人送信给安徽都督孙毓筠，交代他三项任务：一、负责找到烈士遗骸，派人运柩回浙。二、领导组织安徽巡警学堂同学会，建立烈士祠。三、对警校同学在政治、经济上要适当安排

照顾。并教育他们继承烈士遗志，继续努力革命。锡骥到后，同学取出烈士遗骸，在西门外同善堂重备棺殓，开追悼会。孙毓筠主祭，凌孔彰代表同学会报告烈士革命事迹和殉难经过。挽诗、挽联数百，仪式十分隆重。

送走烈士灵柩后，孙毓筠召集巡警学堂同学开会，传达孙中山谕示。决定警察厅长潘晋华指导筹设巡警学堂同学会。军政机构中不少有复辟思想的官僚、政客，从中阻挠破坏。但由于孙、潘积极支持，同学坚持斗争，安徽巡警学堂同学会终于在民国元年(1912)成立，设驻会委员七人，由凌孔彰、徐立文、杨甲、孙焕文、柏文元、张雍、姚向甫担任，凌为主任委员。同学会成立后，以巡警学堂旧址改建徐烈士祠，在烈士殉难处树立纪念碑，编辑烈士革命史。

1913 年，军阀倪嗣冲为安徽都督，仇视革命党人，公然毁烈士碑，拆烈士祠。同学不畏强暴，多次与他当面斗争，并呼吁安徽革命人士，共同反对。

1927 年，蒋介石来安庆，同学会派代表见蒋，要求重建烈士祠。蒋初未同意，经据理力争，方得应许在安庆西门外旧水师协台衙门加以修葺，改为“徐锡麟烈士纪念堂”，省每年拨款一百元作经费。

革命志士前仆后继，这段“余波”可补史遗。

吴芝瑛与秋瑾

孟醒仁

吴芝瑛与秋瑾之交非同一般，都是为着革命和国家前途。秋瑾女侠世人多知，而芝瑛则知者甚少。

芝瑛，字紫瑛。父康之，曾知郓城；从叔汝纶，桐城古文大家；夫廉泉，无锡举人，曾参与“公车上书”。芝瑛自少工诗能文，倾向维新，著有诗文集。

芝瑛1903年识秋瑾于金华，旋随夫赴户部郎中任，寓京；秋瑾之夫王廷钧，买官与廉泉共事，结为芳邻；秋瑾得朝夕过从芝瑛，阅读新书刊。适美籍女教师麦美德来华，也敬慕芝瑛，友好相与。

次年春，秋瑾将赴日留学，芝瑛集都城姊妹饯行于陶然亭，以壮行色。秋瑾舞剑答谢，相约为妇女解放献力。隔四年，芝瑛作诗回忆：“大樽放饮尔如何？回首江亭老泪多。今日西泠伴一恸，不堪重唱《宝刀歌》！”和者甚众。

1905年，秋瑾再赴日本，途中作《黄海舟中日人索句并见日俄战争地图》，结两句：“伴将十万头颅血，须把乾坤力挽回。”报国誓志，感人肺腑。翌年，因母丧归里。次年正月，过芝瑛上海曹家渡小万柳堂话别。

秋瑾至家，完丧返沪，创办《中国女报》；又回绍兴主持大通学堂，同徐锡麟组织光复军，策划皖、浙起义。5月锡麟起义安庆，壮烈牺牲；秋瑾被捕，后于绍兴轩亭口就义，但无人敢收葬。芝瑛却挺身而出，约徐寄尘为之营葬杭州西湖岳王墓之东，并竖“鉴湖女侠秋瑾之墓”碑。

葬秋瑾前，芝瑛作《哀山阴》两首，有“今日盖棺论未定，轩亭谁与赋招魂？”“天地苍茫百感身，为君收骨泪沾巾”诗句。清廷认为“吴芝瑛与秋瑾同党”，强令削平秋瑾墓，论处芝瑛。赖麦美德之力及两江总督端方与芝瑛父辈交厚，免论处。秋瑾之兄得拾遗骨归葬绍兴，芝瑛因病未至，诗以哭之，有“行人痛冤狱，掩泪话殷勤”、“碧血千年事，悠悠那足论”诸语。其后，芝瑛再筑秋瑾墓于西湖，重建丰碑巨刻，以供凭吊。

辛亥革命后，芝瑛于病中，犹为国捐输军饷，向女子北伐队交《请缨书》；更反对袁世凯复辟帝制，寄书怒责。国民政府聘为咨议员，非偶然也。1934年病逝无锡，但其侠骨，仍与秋瑾同香也。

大通自立军

张国山

辛亥革命前,1900 年 8 月 9 日,安徽铜陵大通爆发了一场震古烁今的自立军起义。

戊戌政变后，维新分子唐才常由上海赴香港、新加坡、日本等,联络侨胞志士,以图救国。在日本,唐才常谒晤康有为和孙中山。唐与孙商定了在长江流域起事的总战略。

1899 年 11 月,唐才常、吴禄贞等回国前夕,梁启超为之饯别,特请孙中山作陪,以示精诚。席间,把酒畅谈,慷慨陈誓,大有"风萧萧兮易水寒"的气氛。后唐返沪,策划起义。次年 2 月,在沪创建正气会(后改自立会)为起义领导机关,维新之士、兴中会员和长江中下游地区哥老会会员,纷纷加入,很快发展到十万余人。

1900 年 7 月，唐邀一批社会名流及自立会首领,共数百人,在上海张园召开国会,并定名为中国议会。接着建自立军,该军分中、前、后、左、右五军,另有总会新军和先锋营二军,共计七军四十营,约二万人;会党成员数万之众,为后援力量。其五军:中集武汉,前驻大通,后在安庆,左于湖南常德,右于湖北新堤。唐任总办兼统领,驻汉口亲自指挥新军及先锋营,并节制各军。七军势及川、鄂、湘、赣、豫广大地区，星罗棋布于长江南北。

1900年8月初，八国联军攻陷北京。国事日非，天怒人怨。唐见机决定于8月9日，以汉口为中心，各军同时起义。准备初定，待款发动。但康有为汇款未到，汉口方面推迟起义，而大通前军统领秦力山，不知延期，仍按9日上午8时起义。义军有驻大通、裕溪口各一营及大通、芜湖等哥老会，原拟集结桐城，因机事泄，仓卒举事。

上午8时先攻盐局，驻此水师、炮船策应，首战告捷，占领大通。遂杀牲祭旗，张贴告示，晓谕宗旨。大通起义后两江总督刘坤一、安徽巡抚王之春、长江水师提督黄少春急调大军围剿。义军兵少难守，只得撤向青阳，期待援军。转战途中，屡遭清军截击，乃向九华山退。时武汉义军已被镇压，唐等被捕；大通义军失败，不少将士遇害。秦力山逃至马鞍山，谋烧军械库未成。后改名遁公，创办《国民报》，继续鼓吹革命，1906年病逝。

自立军仓促起义，七昼夜夭折。然十数万众参加，千余人牺牲，为辛亥革命拉开序幕，可谓功垂青史。

在北京谒见孙中山

程梦余

1912年8月，袁世凯在挥舞屠刀大杀革命党人的同时，打出了“共商国事”的幌子邀请孙中山入京会谈。8月25日，中山抵达北京，去车站欢迎的有二千多人，当晚下榻外交公署迎宾馆。26日上午，他走访了袁世凯。次日袁世凯作了回访。

早在半个月之前，袁世凯诱杀了张振武和方维。振武是武昌首义武汉军政府军政部长，方维是武昌首义的发起人之一。他俩都是共进会成员，由于黎元洪不是革命党人，对他俩没有好感，就在袁世凯面前进谗，怂恿袁将他俩诱骗来京。他俩一下车便遭到逮捕，袁当即将其交由执法处长陆建章审讯。据说张、方两人对蓄意推翻袁政府一事都“供认不讳”，因此被判死刑。其中奥秘，常人无法窥知，但却起着对孙中山示威的作用。因此，有必要向孙采访，搞清楚他对张、方被害的态度和对当前国事的意见。

我偕同《中国报》总编辑叶蝮生、主笔丁一、张仲权(我是总主笔)，于8月28日(或29日)上午9时，前往迎宾馆谒见孙中山。约二十分钟，传达回话说，孙总统接见。我们和孙会晤，向他

深深地鞠躬。他请我们坐下，然后拿出名片逐个相认。他说，各位都在新闻界，这很好，希望能秉笔直书，对军国大事一定要畅所欲言，丝毫不必隐讳。

我们按照原定计划，向孙请教，孙回答说："我曾与袁谈及张、方事件，袁谓此事系黎元洪及湖北议员所揭发，不能不依'法'处理。我本人坚决矢忠民国，绝无异志。"我们向孙反映说："袁、黎勾结尽人皆知，当张、方一案发生后，黄克强与先生曾来电询问，鄂省议员张伯烈反对尤力。袁之所称，实为遁辞。"孙听了我们的反映，进一步表明他并不赞成袁对张、方的处理。

对今后的国事，孙中山以鲜明的革命民主派立场指出，中国永远不要出现君主专制。他强调要伸张民权，开展地方自治。说到这里还风趣地解释："是自治喽，可不能是官治呀！"接着他强调要注重民生，发展实业，包括工、矿、渔、林各业都应大力发展。这次，他差不多把各方面的问题都谈了，并要求我们从舆论上督促政府逐一实行。最后说，他准备为建设二十万里的铁路投入全部精力，并准备到全国各地看看，实地调查一番，再决定如何进行。

会晤进行半个多小时。时间虽短，印象却深，数十年后，仍难忘怀。

范 鸿 仙

范予修

范鸿仙，名光启，别署孤鸿，合肥人。少时家境贫寒，读书刻苦勤奋，以好学著称乡里。二十八岁赴上海，结识于右任、章炳麟、宋教仁、陈其美等人，并参加同盟会，后与于右任办《民呼报》。他发表的文章，笔锋犀利，孙中山曾给予很高的评价。清政府既恨又怕，不久将于右任逮捕，封禁了《民呼报》。范鸿仙徒跣奔走，呼号营救，并到公堂上为于申辩，迫使反动当局不得不将于释放。因此，范鸿仙在革命党内声誉大著。

武昌起义后，江苏受到巨大震动，清军第九镇统制徐绍桢准备举事响应。张勋率部进驻雨花台，与徐绍桢对垒。范鸿仙与林述庆、陈其美、柏文蔚共同策划，发动沪浙义军攻克金陵，张勋败逃。范鸿仙征得孙中山批准，又募集壮士五千人，组成铁血军，准备率领铁血军北伐。适值南北达成和议，南方的一些革命党人和民军领袖放松警惕，范鸿仙则识破袁世凯所为，认定议和是阴谋，遂把这种看法告诉革命党人，当时大家不能理解。范忧心如焚，叹息说："伪孽虽去，袁贼未枭……今权一时之势，以安易危，共和之政，不三稔矣。"于是把军事指挥权交给龚振鹏，

自回上海闭门闲居。其间,安徽人多次推举范鸿仙出主皖政,袁世凯也时常以利禄相诱,他都称疾不出。但坚持革命信念,准备伺机而起。

宋教仁被刺后,“二次革命”开始,范鸿仙挺身而出,进行革命活动。他先遣龚振鹏攻打颍州,随即亲往芜湖布置北伐军事活动。不久金陵沦陷,义军连连失利。他又协同柏文蔚进据安庆,由于胡万泰叛变,革命军溃败,范鸿仙易名出走,潜往日本。

不久,他又奉孙中山之命,潜回上海,图谋再举。此时,袁世凯的爪牙郑汝成,盘踞在上海制造局,专门追捕革命党人。制造局有围堑数重,工事坚固,且军械精良,难以攻克。范鸿仙与陈其美密谋,决心冒危攻制造局,剪除郑汝成一患。未料郑先侦知,电告袁世凯。袁派刺客,于1914年9月20日将范暗杀。牺牲时,年仅三十一岁。后来,范受表彰,追赠为陆军上将。烈士灵柩于1935年11月23日,由上海迎至南京,次年1月3日附葬于中山陵园东隅。“文革”中,烈士墓被破坏。1973年4月范鸿仙烈士墓在原址重修,并移烈士夫人李真如(同盟会员)遗骸合葬。

记朱雁秋二三事

马吉荣　安文生

1933年11月中旬回民开斋节清晨，安庆朱雁秋(回族)被省主席刘镇华下令逮捕枪杀。刑场在安庆小东门外荒丘上，朱氏尸体横陈，身穿黑羊皮袍，脚上无鞋。传闻那天上午10时，李烈钧、柏文蔚由南京乘飞机到安庆进行营救，但为时已晚。

1906年清王朝创立新军，安庆开始成立武备练军，并在练军的基础上建立武备学堂。朱雁秋亦曾参加过武备练军和武备学堂，并且在安庆新军熊成基统率的炮营任过职务。辛亥革命后，他是国民革命军第三十三军军长柏文蔚部下的旅长，早年曾加入同盟会，退伍后成为安庆"青帮"通字辈中最有势力的人物。他在安庆小东门石家圹盖了一座精美的小洋房，院内有名贵花木，节假日开放，任人参观。他的青帮徒弟遍布全市，大徒弟号称"十三太保"。他的老婆，人称"朱师母"，也招收女徒弟。

朱雁秋的死因有种种传闻。一说是：1929年夏，方振武来安庆任安徽省主席，邀朱雁秋来安庆任盐河厘金局长。旋因方振武密谋反蒋，而被军阀刘镇华出卖。1933年刘镇华任安徽省主席，洞悉朱雁秋和方振武的关系，且见朱雁秋在安庆创办大同报社，报刊常载进步言论，针砭时弊，乃不择手段，诬以通匪，图谋不轨，而将朱雁秋逮捕杀害，以取得蒋介石的信任。另有一说：当时安徽省主席刘镇华准备在全省设立“米捐局”，进一步搜括人民脂膏，朱提出要当大胜关米捐局长，被刘拒绝，朱即利用《大同报》攻击刘鱼肉安徽人民，反对设立米捐局，致触刘之恼怒，欲以破坏税收为借口，置朱于死地。总之，众说纷纭，有谓朱系青帮通字辈(即二十二代)，门徒不少，当局对他颇有嫉视，故此被杀；有谓朱早年参加辛亥革命，现寓居安庆，创办大同报社，昌言抗日，忤逆当局，故有今日之难；更有谓当局挑选回民开斋节杀害朱雁秋是欲震慑安庆回民，用心歹毒。一时众论盈庭，莫衷一是，而大多数人皆慨叹唏嘘不已。

朱雁秋是安庆抗日后援会的首创人。日本帝国主义侵占我东北的“九一八”事变发生后，朱雁秋在安庆创办大同报社，响应中国共产党的号召，宣传抗日，并首先在安庆成立抗日后援会，凡本市具有爱国思想的青年和进步人士均纷纷参加。报名之后，每人发一块写有“敌忾同仇”、“还我河山”的白底黑字臂纱，以作参加之标识。我(作者之一的马吉荣)曾伴同几位同学报名参加。

该会组织之目的和要求为：誓做抗日军民后援，打倒日本帝国主义，反对不抵抗主义。但该会成立后，因反动力量压制，未能开展活动。

投王亚樵

朴 诚

1929年春夏之际，我到上海菜市路悦来场六十三号戴膏吾家。戴合肥人，曾任范鸿仙(辛亥革命烈士)部秘书长，和王亚樵关系密切。

王亚樵，肥东县人，社会党安徽支部负责人。1915年得柏文蔚引荐晋谒孙中山，旋追随孙致力北伐，后进行反蒋抗日活动。

当戴知我对政局不满，欲将我介绍给王亚樵。一天，在戴家，膏吾引我同亚樵见面。他中等身材，目光炯炯，衣着俭朴，对人和蔼。首先问了经历，并追问要求参加反蒋组织的目的。我简述了前年毕业于河北军事政治学校，分在北伐军第五师任排长，后来蒋介石在宁开编遣会，掀起新军阀混战，政局动荡，就解甲来沪，意求反蒋。他说：你要参加，第一条就是不怕死，怕死就别干。我表示为着国家和民族，不怕一切。从此随他反蒋抗日。

当时，亚樵在沪的反蒋组织上层人员有老同盟会会员柏文蔚、王乐平、思克巴图、常藩侯，以及国民党中委刘芦隐(孙中山驻沪代表)等，下层共有几百人。其秘密组织，有华克之部、龚春浦部、谢文达部，我被分在谢部。三部互不联系，

由亚樵单线指挥。我和许志远(泗县人)、蔡克强(合肥人)为常任联络员。亚樵凡开会,都由我们秘密通知,再由专人领到会场。外围组织叫"铁血锄奸团",王铁民、邓洪明任正、副团长。

经济收支,统由张文龙管理,每人每月发二十块银元生活费。如果工作需要,经亚樵批准实报实销。

经费来源,约有九个方面:一是"安徽劳工总会"有几万会员的会费收入;二是"安徽旅沪同乡会"的收入;三是西南军政委员会按月拨给三千元(共拨九个月);四是萧佛成、杨焕廷由南洋华侨募捐约二十万元,马超俊(孙科派)经手接济十万元;五是安徽的凤凰井、金河两个厘金局上缴约二十万元;六是上海劝募委员会拨给约十万元;七是上海资本家资助一部分。如李国杰(李鸿章孙子)经常接济,还将"江安号"大轮收入拨给我们;八是卢永祥为报杀徐国栋重酬二万元;九是开设和平米店的收入。总之,经费来源有固定的和不固定的,都由亚樵安排筹划。

"九一八"事变后,王亚樵与柏文蔚、李济深、陈铭枢等,进行抗日反蒋,曾以安徽代表身份参与福建事变,派人谋刺蒋介石。"一二八"淞沪战争爆发,亚樵组织义勇军敢死队抗击日军。1936年10月王于广西梧州被军统杀害。

《民岩报》总编辑吴霭航

朱希渔

辛亥革命后，安徽旅京人士，为争取民主自由，于安庆筹建《民岩报》，社址在系马桩街。1912年10月10日创刊，日刊对开两大张，是安徽最早最大的报纸之一。

版面分本市新闻、本省新闻、国内新闻、国际新闻和副刊；以本省为主，各市县有特约通讯，国际和国内新闻则以国内外著名通讯社专电为来源。最初发行量每日约三千份，后增至五千份。

《民岩报》自办刊起，一贯奉行争取民主自由的方针。1915年12月12日，袁世凯宣布恢复帝制，激起全国人民公愤，《民岩报》亦口诛笔伐。该报曾连遭安徽督军倪嗣冲、马联甲的迫害，之后又被军阀陈调元、刘镇华两度查封，但仍坚持出版。北伐时期，该报准备披露革命军攻占武汉、歼灭军阀部队甚多的消息，警察厅长赵天鹏(孙传芳部属)即拘留记者，威迫撤销这条新闻。《民岩报》迫不得已，只得执行，但开天窗，以示抗议。抗战爆发，安庆沦陷，报社资财荡然无存，胜利后未再恢复。

《民岩报》社长、总编辑吴霭航(桐城人)，清末京师大学堂文科毕业，为人胸怀淡泊，无意仕途，拥护孙中山革命主张，加入过同盟会，一心以文章报国。担任《燕京日报》主笔时，看到茶肆酒楼贴有“莫谈国事”标语，愤然以“莫谈国事谈花事”讥之。著有《燕京花史》，为京都人士所传诵。

辛亥革命后，吴应同乡之请，回皖主办《民岩报》。安徽省长许世英，因与他在京相识，特去看望。有人说：“许省长看望，你也应该看他，这是礼尚往来。”他说：“他看我是他的事，我不回看是我的事。他今天代表政府，是权贵，我就不需要回看他了。”

吴不畏强暴，敢承担责任。有次副刊“嬉笑怒骂”栏，刊登一篇小品文，讽刺倪嗣冲每次出巡，沿途屋顶都有卫士站岗。倪即传问：“你们报上为什么骂人?”他回答说：“你指的是‘嬉笑怒骂’栏里那篇小品文吧!那是‘疯子’写的。督军何必与‘疯子’计较呢！”倪虽不满，也只好不了了之。

另一次，因社论涉及省政，他被传拘留。释放时，却对牢卒说：“请把我的铺位保留好，早晚还会再来光顾。”

他的政论文章，泼辣锋利，切中时弊，入木三分，人称董狐之笔。他的笔名为“假包公”，寓意深长。从事新闻工作几十年，论文杂品发挥作用，难以估量。不幸的是，抗战胜利前一年他竟与世长辞，遗文也未荟集成册，实为可惜。

张治中派我办《黄麓导报》

杨先礼

抗战胜利后，我回故乡巢县，任县政府督学兼代教育科长。为了联络黄麓学校校友，发展家乡教育，借工作之便，创办《黄麓校友通讯》周刊。

1946 年，张治中任国民党西北行营主任兼新疆省主席，因关怀家乡文化教育事业，对周刊颇为赞许；有意以它为基础，扩办《黄麓导报》，向全国发行。张派我负责，并多次指示，应使报纸知识化，宣传报导家乡建设，尤以文教方面新成就为主。次年 2 月《黄麓导报》首次刊行，初用石印，质量很差，后由他提供经费和器材，情况才有好转。

1948 年元旦，正式发行铅印日报。由一县发行铅印日报，不仅为巢县鲜例，且为皖省罕见。所以在发行当天，特举行隆重的剪彩仪式，以示庆祝。参加仪式的有巢城校友、地方名流、绅商代表和几位外宾。同时还展出于右任、张群、汤恩伯、邓文仪等人的题词，以及有全国性影响的各地大小报纸贺词。这在小小巢城，着实是盛况空前。

《黄麓导报》名誉社长为张治中，报头四字

即他所题。社长由黄麓师范校长耿家舒兼任;我具体负责,名义是发行人兼总编辑。社址在巢城朝阳门内孔家大屋。报社设有编辑室(副总编李曙晖,主笔杨骏如,记者孙宏涛、刘德寿),排字房(主任汤一民),印刷车间(主任杨经魁)。还聘请王龙为驻南京法律顾问, 翟宗文为驻芜湖法律顾问,孙香涛为巢城法律顾问。报纸每日印刷二千份左右。本城订户由学徒直接送交,外地邮寄。另在巢城、陆家畈等处设零售点。每期按时寄至兰州西北行营和新疆省政府,供张阅览,了解情况,以便指导。

国共和谈破裂后,张治中曾于1947年回乡省亲。我以随行记者身份,担任采访、摄影、演讲记录和新闻发布。他肯定我这段工作,并要我向《新疆日报》和兰州《和平日报》学习。张作为"党国要人",讲话自有分寸。从他谈吐之间,也能隐约体会到, 在暗示我少登国共作战消息和反共宣传材料。

1948年竞选"国大"代表,派系斗争激烈,巢县反动势力想推童春暄为候选人。因《黄麓导报》在竞选中站在张治中一边,再加报纸平时揭露地方官绅丑闻,便被党棍、劣绅之流视为眼中钉。同年夏,以县党部书记长沐艾华、县参议长潘翰飞、县政府建设科长钱万里为首,率领打手捣毁报社,迫使我离县。

我将情况函告张治中, 他即复谕:"文白捐助印刷机、铅字,本为发展家乡文化,望你和地方政府合力办好这份小报。"因而得以续办,奈我在巢处境艰难，遂将报社托杨骏如管理，便去上海，任《和平日报》副总编辑。

1948年冬，巢城解放，报社所有器材，由汤一民移交县人民政府，《黄麓导报》随即停刊。

彭玉麟怒拆李府辕门

许知为

李鸿章曾在芜湖建有公馆，深宅大院，围墙高筑，铜环黑漆大门，门前石鼓石狮，非常气派。公馆位于今中江桥北端，大门面向沿河官道；官道东西，各建辕门，连结公馆两侧围墙，更为壮观。辕门白天放行，夜晚上锁，行人极感不便，然怒不敢言。地方官吏也不敢过问。

水师提督彭玉麟，某晚巡视芜湖水师基地，路经李府辕门被阻，遂问："什么人的辕门?"随从答："李鸿章大人公馆的辕门。"彭大怒："皇家官道，怎能私建辕门！"立命传话拆除。李府闻是彭提督发话，立即开锁，保证天明拆掉辕门。

辕门拆了，市民称快。

刘铭传是将才

岚　影

合肥刘铭传，字省三，世称刘六麻者。少时仗义，后杀土豪，始投李鸿章部下，渐以武功，为李赏识。

世称曾国藩善识人。一日曾谓李曰："君部下将才几人？"李以刘铭传与张树声等答之，曾命明日来见。次日，曾饭毕，往来徘徊，见刘等来，只呼曰"坐"，乃自踱步。刘等见曾未坐，亦不敢即坐，恭立门两侧。约一刻许，曾步毕，见刘等恭立状，始曰："君等何入立，此间未善相待，他日有暇常来为幸。"即令送客。

刘等初以为曾帅之召，必咨问军旅，询试学习；及出，莫不咄咄称怪，不知曾帅竟何意也。后曾谓李曰："前来数人，吾为君尽相，中一长汉，实乃管晏才，方吾往来徘徊时，渠端立始终未稍变，目未尝一注视我，颜未改常色也，此人可大为。中有一矮者，常伸头窥我颜色，吾往来时，目光时时送迎我，此人中人而已。其中一麻面汉，视吾久未理，怒气不可遏，麻面赤及于颈，瞋目视我，此真将才也。然非常人所能驾驭，君度能

用则用,不能用则杀之,毋生后患。”长汉盖张树声,麻面则刘铭传也。

甲午战争以后,赔款割地频仍,国事棘手。朝野多归罪、弹劾李鸿章,且传将剥去其黄马褂矣。铭传时已家居,知李抑郁,即往谒李曰:“满帝如庙中泥佛,可搬置他处,能登此位者惟相耳,吾愿助一臂之力。”李即急止口:“省三何出此言,独不畏万世之名乎,且人心尚不可知。”铭传知李终不可变,自此隐居终不出矣。

刘铭传之爱才

严慎之

合肥刘壮肃公铭传,以军功封一等男爵,好为诗,所著有《大潜山房诗钞》,晚岁家居,爱才若渴,尤喜汲引寒士。一日,刘微感不适,戒门者勿为客通。旋有一寒士,持刺求见,门者拒之,仍固执己意,非见不可,门者不得已,入以告刘,刘书一联于刺背,令门者持以示之,能对则见,不能则否。其联为:“持三寸帖,见一等男,童生居然充大老。”寒士即援笔对云:“读五车书,行万里路,布衣足以傲公侯。”刘即欣然延见,赠以金,并为之介绍于当道云。

段祺瑞琐事

石克士

段祺瑞(1865—1936),合肥人。幼年就读私塾,因家道贫寒,十七岁离乡投军。塾师姓侯,见段欠下学、膳费,便把其一块旧端砚和一张书桌扣下。后来段在北京发迹。塾师想去北京,但又害怕,无奈穷久,只好硬着头皮,抱着端砚到京。段一见大喜,尊称老师如昔,并问师母健康。塾师于答问间,慢慢取出那方端砚,嗫嚅着说:“你从前那方砚台保存在我家,现送来还你。”言下,脸红得发紫。段高兴地说:“好极了!好极了!这一方端砚是我祖传之物,老师为我保存至今,幸未失去,我很感激!现在我正要用,即请老师将行李搬到我家。”后来一日三餐,均备甘旨。塾师见往来都是贵客要人,自己是个塾师,不好开口找事做。过了数日,便告辞回乡,待塾师到家,几间破房早已修葺一新。

段喜欢下围棋,无非附庸风雅,棋艺并不高明。但到段府对局的人,为照顾面子,总是让他三分。段赢了,非常高兴,要再来一盘;输了,即推盘而去,或将棋子一推说:“不下了!不下了!”他鼻子有点歪斜,输了棋更难看。棋友陪他下棋,必输给他,但只能输一两个子。若输多了,他又认为你是屎棋,瞧不起你,再也不会找你。

段自奉尚俭,平日吃山芋,常连皮吃,而妻妾皆剥皮。在他面前,吃山芋则不敢剥皮。他自以为家风好,其实诸妾亦多半染阿芙蓉癖。段平时,服饰亦朴素,常着大襟布内衣,脚登双梁柱布鞋、布袜,常服满洲式巴图鲁坎肩。若去国务院,或遇大典,则穿军服或礼服。晚年信佛茹素。房地产业也并不多。

1928年北伐胜利后,蒋介石为笼络皖系,曾写信给段,问:"老师可记得送入日本士官学校学生中有个蒋志清否?那就是我……"他根本记不清了,但见信,乃知蒋是由他送入日本学军事的后辈,大为欣喜,常对人说:"蒋介石是我学生。"后蒋恐于己不利,示意他"南下颐养"。段乃乘车到南京,蒋亲自到浦口迎接,次日到上海,居住在旧法租界霞飞路(今淮海路)一四八七号陈调元公馆。1934年春,段胃部大出血,医生劝他开荤增加营养,他坚决不肯。段逝世后棺木暂厝上海,不久移葬北平。

将军一生三改名

陶荣宗

先父陶振武,原名陶国楠。1893年生于滁州。宣统元年(1909),安徽陆军小学堂在滁州招生，先父报了名。但学堂堂长以“不能放走优秀学生”为由，说服州官，撤回了先父报考的文书。时陆军小学堂滁籍学生侯光龙对先父说，省教育会也可报考。先父便不动声色到省会安庆，向省教育会说明原委，请求报考，被允准。为防止地方补文刁难，改名陶靖，经试录取。

1911年，武昌起义成功，清廷的陆军小学堂停办，先父投效皖军北伐队，在柏文蔚第一军军士教练所任助教。翌年，军士教练所撤销，先父考入南京临时军官学校。同年秋，该校并入武昌陆军第二预备学校。其时，张治中与先父同学，成为挚友。次年暑假，先父回滁。假满返校，恰逢讨袁，长江航运阻滞，逾期报到，校方以先父有不轨行为开除学籍。安徽陆军小学堂成立补习所，也拒其入学，父只得回滁。

1914年，安徽陆军小学堂补习所学生毕业，全部升入北京第一预备军官学校。毕业生汤振武不愿前往，同学韩毅对汤说，你既不愿去，何不让陶靖顶替，他正苦于入学无门。汤即答应，并将毕业证书给了先父，先父遂以汤振武之名进京就学。后入保定军官学校第五期步兵科，1918年毕业编入段祺瑞的边防军教导团任助教，仍名汤振武。

1919年，先父在边防军劈刺体操科任助教时，才说明理由，复原陶姓，“振武”二字未改。1928年至1934年，先父曾任阎锡山部师长及国民党军委会军事参议院中将高参，建国后任天津市政协委员，均名陶振武，直至1979年逝世。

何其巩平步青云

张思贤

何其巩，号克之，桐城(现属枞阳县)人。早年在安庆第一师范读书。后去北京，在冯玉祥国民军政治部当准尉司书。某星期日，政治部的人员都在家里度假，何其巩这时还单身，客居无聊，就来到政治部看报纸，消磨时光。忽然一个身材高大、体格魁梧的军人跨进了办公厅，坐下来，向四周望了望。何忙放下报纸，招待客人。

这位军人点了点头，开口问道："办公厅里怎么只有你一个人?今天是星期天,你怎么不休息?""现在是军事时期,如果发生了事件,就无人处理。"军人点了点头,摸出了一个文件,递给何其巩说："你能复个文吗?""可以。"何回答。并拿笔起草文稿,很快递给那位军人。他看了看,点点头,即跨出办公厅。

第二天早晨，政治部的电话铃响了："我是冯玉祥,部长在吗?通知他立即来司令部！"部长按时赶到,冯问了几句话,掏出一份文稿说："你看拟得怎样?"这位部长摸不着头脑,看了看连声回答："不错!不错！"冯说："这样的人才为什么不能很好的任用?回去查清楚再来回报。"这位部长连声“是！是！是！”离开了司令部。

回来了解清楚以后，于是何其巩从准尉司书一跃升到上校文书科长，从此飞黄腾达，曾任冯玉祥的秘书长，北平市市长，安徽省教育厅厅长、财政厅厅长。

张治中劝陶振武投蒋

成　武

1930年春，阎锡山、冯玉祥联合反蒋，中原大混战。这是国民党新军阀间规模最大的一次战争。战区扩展冀、鲁、豫、苏、皖、湘等省，绵延数千里。双方动用兵力一百多万，死伤三十多万，历时七月之久。

阎锡山以主力九个军，从津浦线南攻，以四个军配合石友三、刘茂恩等军，沿陇海线向徐州东进。冯玉祥的主力，沿陇海南侧向蚌埠进攻。陶振武属于陇海方面晋军，任阎锡山第一军二师师长。

战役开始，晋军从兰考、封丘以东地区，全线向蒋军进攻。由于刘茂恩被蒋介石收买倒戈，军事形势急骤变化，给晋军带来全线混乱。陶振武师被围，被迫向兰、封撤退。蒋军尾追，双方激战，伤亡俱重。七月，雨季来临，晋军阵地全泡水中，补给十分困难，军事行动无法进行。陶振武

师无奈，只得退到内黄车站，构筑工事，与蒋军对峙。此时张治中见机，劝陶振武投蒋。张任蒋介石教导第二师师长，由于陇海作战失利，蒋介石给张治中记一“死过”，令他立功赎罪。张治中借与陶振武往日为同学、挚友关系，派陶的表弟吴抱真，持张亲笔信，秘密地来到北京。通过陶振武家属将信转交正在前线的陶振武手中。张在信中力劝陶振武率部投蒋，条件是：立功提升中将衔军长；犒赏大洋二十万；陶在山西的一批财产，开列清单，全部由蒋包赔。

陶振武接信后，一方面电告北京家里，催促吴抱真急速离去；另一方面把原信呈给阎锡山，以示忠贞。此举得到阎的通令嘉奖，并享受中将衔“荣誉”待遇。以后陶振武屡遭阎的冷落，对未能投蒋不无遗憾。

许世英策动皖政质询

陈葆经

1947年，许世英出任行政院政务委员兼蒙藏委员会委员长，以其声望，备受旅居南京的安徽人士推崇，因此，安徽旅(南)京同乡会推许任会长。

是年秋，正值安徽反对新桂系统治—倒李(品仙)运动高潮，省政府秘书长苏民到南京述职，曾拜会许世英。许对李品仙的任意摊派，额外征收，非法聚敛，利用银行存款，大做私人买卖，派邓峙一盗挖古墓，并摧残进步青年，进攻抗日友军等情况，早有所闻。苏离开后，许即命高长柱(蒙藏委员会委员、主持安徽同乡会工作的总干事)与同乡会副会长金维系、刘启瑞、邵华碰头，研究开会向苏民作皖政质询。时间订在许、苏见面的第三天晚饭后，地点为中央饭店小礼堂，由许亲自主持。参加人员有中央大学、金陵大学的皖籍学生代表和南京各机关单位的皖籍人士百余人。

质询开始，问者井井有条，义正词严；答者支吾搪塞，就轻避重。当问到"特训处"(关押进步人士的秘密场所)情况时，气氛已极紧张。至询问李品仙盗古墓和攫取大量文物运往香港时，苏民迟迟不答。许一声春伯(苏民字)刚出口，台下一片愤怒声。部分学生涌至台前，用椅凳向苏抛砸。高长柱拖着苏民，从台后遁出。这时会场很乱，许以安详的态度，希望大家勿操之过急，并表示决不让新桂系在安徽横行。

许世英六十年复杂的宦海生涯，是史学界值得研究的人物。现已出版的《许世英》一书，记叙翔实，但对许曾任安徽旅南京同乡会会长以及反对新桂系祸皖各节，均未记载。我因当时任蒙藏委员会专员，又系皖人，得随许氏参加此会，故记之，以作补遗。

张灵甫之死

李怀胜 口述　王若升 整理

1947年5月13日，张灵甫率七十四师到达孟良崮山区。有情报说，发现解放军大部队向我两翼集结。张不以为然，认为解放军没有包围聚歼他的能力。岂知我们行至孟良崮山下垛庄一线时，便遇上解放军的阻截部队。张灵甫当即命令将辎重等撤上山布防，留下辎重团六个连坚守垛庄，我率一连、二连担任垛庄北侧防务。打了七天七夜，伤亡惨重。第八天逃上孟良崮后，一、二、三连剩下的人被派在师部所在山洞附近守备，离张灵甫不到二百米。我们被围到第十二天上午8点多钟，我见解放军已快攻到跟前，便带着剩下的几个人朝师部山洞跑去。快到洞口时，忽听洞内哒哒哒一阵枪声，进洞后闻到一股火药味，只见跟随张灵甫多年的少校随从副官刘立智手端卡宾枪，张灵甫、蔡副师长及五十八旅旅长卢醒胸部洞穿，并头倒在刘脚下的血泊之中；参谋长李灿良及十几个副官、随从人员，默默地站立四周。我忙问怎么回事，刘立智说："师长他们怕当俘虏，命令我开枪打死他们。师长临死前还喝了一杯牛奶，吃了一块饼干，后悔没有听参谋长的意见，以致落此下场……。"参

谋长李灿良苦笑着对大家说:“……我们已经无事可做了,大家各自逃命去吧。活着也许还有见面的机会,死了也对得起师长……”俄顷,我们都成了解放军的俘虏。

师长罚站

李怀胜 口述　王若升 整理

国民党军七十四师进攻解放区前，驻扎在南京紫金山原艺术学校一带。我在该师五十七旅一六九团任第一连连长，后调师部特务营任连长,又调任师部辎重团一连连长。

一天上午,师部门口来一老者,声称要找一熟人,门卫不让进,老者硬要进。这时,值勤排长来了,老者向他申述找人的理由,还说只讲几句话就出来,排长允许了。老者进去后,东张西望。卫士长见疑,欲问,老者转身拐进后院大礼堂一侧。卫士长唤其站住,老者不理。此时,师长张灵甫与其同僚正在礼堂旁的小会议室议事。其中一人从窗口看到了蒋介石,赶紧报知张灵甫,张等慌忙出迎。蒋介石怒斥道:“一个老头子都能闯进你的司令部,你们还能打什么仗!”立罚张灵甫等站在总理遗像前“悔过”一小时。

接待上级不周县长作阶下囚

周　文

1933年，红军势力伸展到至德、东流一带(今东至县)，安徽省长刘镇华，特派保安处处长蔡某亲到东流视察有关修城、建堡等防范事宜。县长向抡元因接待上级不周，又未满足所谓程仪的勒索，竟被蔡某诬以贻误“剿匪”罪名，罢职入狱。这位县长身系囹圄，心中感慨，赋诗一首：

百里为官刚百日，人为座客我阶囚。
宦情付与东流水，何日身同不系舟？

该县章大光因曾惠济过牢中的向抡元，所以向出狱后，怀恩以谢，亲书条幅一帧，裱好送给大光。条幅上写：

不易周旋横上官，无名喜怒涌波澜。
若论政治非常轨，似此潮流合挂冠。
房绾救雍劳口舌，仲尼象虎历艰难。
网开三面秋曹令，许我江头把钓竿。

诗抒官场险恶，并喻惠济情谊。

警察局长因拘娼而辞职

刘 明

1934年，刘镇华主皖，王印川任省府秘书长。何仙姑(绰号,真名不详)是省会安庆有名的土娼,倚仗结交省府大员,有恃无恐,常坐黄包车招摇过市,卖弄风骚。社会名流对刘镇华等祸皖早已啧有烦言，借此向省会警察局长张本舜提出责难。说土娼妄行,伤风败俗,莫此为甚。张本舜大为难堪,遂令将何拘留。岂料此举触怒何的靠山王印川,竟命张立即放人。张慑于王等权势,只得“遵照办理”。张早就对刘镇华把全省各警察局长换成亲信感到不快，现在连个娼妓都无权处理,更加愤懑,意欲辞职。遂将上述情由密告任南昌行营主任的乃兄张治中。得兄复函,张便向刘镇华辞职,刘即照准,并任命其弟刘镇海接替。

蒋介石亲批件我没执行

聂方中

1949年2月间，京沪杭警备总司令部接到上级一个交办文件,参谋长批交第四处,我任处长,要我负责办理。这是国民政府经济部呈给最高当局的报告，内容是说南京灯泡厂拆迁台湾行动迟缓,要求采取有力措施。文件末尾,赫然有蒋介石用红铅笔写的批示:“必要时武力拆迁,中正。”我不敢怠慢,立叫值班参谋打电话给南京灯泡厂,要负责人马上来总司令部见我。

不到一小时,厂长来了。我问他拆迁情况,并说:“怎么工作进行得这样缓慢?”厂长讲了不少困难,一说时间紧迫,厂里人手不够;二说拆卸大件机器还缺少专用设备,等等。我对他说:“经济部催得很紧，而且上报到总统那里去了,你看看这个文件?”我将蒋批文件给他,他看了以后,有些紧张,恳求我说:“请稍为宽限一些时间,我回厂去加紧进行。”

厂长走后,我的思绪起伏不定,认为自蒋下令将工业设备迁台,已拆迁差不多了,现在,连灯泡厂这样“一条小鱼”也不放过吗?我就抱着阳奉阴违、消极应付、听其自然的态度,上面不问，我也不管。既没派人到该厂去催，更未武力拆迁。后来由于形势紧张，也就不了而了。

吴汝纶作媒

孟醒仁

南通范当世(肯堂),工古文,尤长诗歌,以其有《范伯子诗文集》,后人多称伯子先生。方壮而丧原配,以伉俪情笃,请画师作《大桥遗照图》,系以诗,誓不再娶。而桐城古文家吴汝纶非之,谋以破其誓。

适乡亲姚浚昌(字慕庭,姚范玄孙)知江西安福县,邮寄其女公子蕴素诗,且嘱选婿,汝纶以为范君最宜。遂驰书范父荫堂,平章婚事,示其必允,果得许诺,而以谎语命当世赴安福;当世中途始知,然木即成舟,已难改矣。

抵安福将婚，蕴素以诗言志，当世和之，中叙姚浚昌早得己诗："一诗落人间，遂为吴公(汝纶)得，苦作珍奇收，过求美珠匹，辗转归丈人(浚昌)，逃藏更无术。"言获汝纶之介聘，姚浚昌之许诺也。

婚后，当世日与蕴素诗酒联吟。当世《和外舅(丈人)关字韵，有怀挚甫先生》诗，其"罗帐已悬千载月，纸窗更受一城山，丈人萧瑟余清兴，贱子飘零得暂闲"诸语，以感激外舅；结语"日饮无何能忘远？茫茫燕赵碧云间"，则喻汝纶仍知冀州，在燕、赵之间也。

当世与蕴素唱和甚多，联吟极乐，而感怀前室(亡妻)，诵其遗诗，相与流涕。当世次蕴素诗，后四句如下："好事只今疑过分，悲歌对子不能才。一篇残稿嗟何吝，十七年间事可哀。"事隔多年，情犹若此，令人想见汝纶《题范肯堂大桥遗照》之文，"今别数年，君(当世)与后夫人相得甚，前哀忘矣"，实仍未忘。

当世赘姚家，我初闻之业师王驾吾(焕镳)，业师为范氏再传弟子，亦南通人，辞世多年，知者渐少。因检点方册，综述始末，不仅存当年掌故，尤可见前人风范。

严复批诗

杏　村

清末革新派、《天演论》译作者严复曾担任过安庆高等学堂校长，徐铁华、胡渊如同时任教员，两人都是诗人。据说，他们曾把自己的诗集送给严复看。严看了以后，在徐的诗集上批了个“雅”字，而在胡的诗上批了个“哑”字。

“雅”容易理解，可是“哑”却不好体会，怎样才算不“哑”！原来旧体诗里，除了表达神情，摹绘事物以外，同时要讲究每句音节的和谐，韵味隽永，读起来有音乐感，使人在思想上引起共鸣，这就须要在韵脚上、音节上下功夫。宋代诗人陆放翁就提出过这个要诀：五言诗的第三字，七言诗的第五字要“响”，这就是不“哑”。严复批诗，对胡不无启发。

苏曼殊与陈独秀、邓绳侯

涂金龙

著名诗人苏曼殊(1884—1918)，广东香山县

(今中山市)人,名戬,字子穀,后更名玄瑛,曼殊是法号,曾三次出家,几渡扶桑。

曼殊精通英、法、日、梵文,善诗文、小说、译作,工绘画。曾参加柳亚子等组织的"南社",亚子赞为"不可无一,不可有二"的特殊作家。

曼殊与陈独秀认识较早,1903年他才二十岁即任《国民日日报》翻译,和独秀共事,向其学诗,受到独秀称赞。同年该报停版,与独秀租房同住。1906年又同往日本,次年与独秀及章太炎等发起成立"亚洲和亲会"。1911年独秀回安庆办高等学堂,曼殊被聘为教员。1913年3月28日,曼殊从安庆返沪与独秀相晤。因患肠疾,赴日本养病。11月离上海时,独秀作《曼殊赴江户,余适皖城,写此志别》以赠:"春申浦上离歌急,扬子江头春色长。此去凭君珍重看,海中又见几株桑。"曼殊写《东行别仲兄(独秀字仲甫)》相答:"江城如画一倾杯,乍合仍离倍可哀。此去孤舟明月夜,排云谁与望楼台。"

1906年夏,曼殊在芜湖皖江中学任教,与同事邓绳侯(著名书法大师邓石如的曾孙)结为好友。下半年赴日后,绳侯寄《忆曼殊阿阇黎诗》抒发郁怀:"寥落枯禅一纸书,欹斜淡墨渺愁予。酒家三日秦淮景,何处沧波问曼殊?"曼殊接邓诗,写《答邓绳侯》一诗:"相逢天女赠天书,暂住仙山莫问予。曾遣素娥非别意,是空是色本无殊。"

曼殊和独秀、绳侯先后共事,关系非常密切,通过诗歌唱酬,三人离合悲欢如见如闻,可感可念。

檀玑代小凤仙撰悼蔡锷挽联

吴　明

檀玑，望江人，字汝衡，清同治进士。徐世昌、岑春煊等人曾在他门下听讲。民国初年，任清史编修，因是清朝遗老，受人冷遇。檀玑落拓京师，常流连于酒馆歌楼，以词才善辩知名，结识了小凤仙。

蔡锷病逝，小凤仙感知己情深，叹英雄短命，慕檀才名，请他捉刀，写下了脍炙人口的悼蔡锷挽联。联云：

万里南天鹏翼，直上扶摇，那堪忧患余生，萍水姻缘成一梦；

十年北地燕支，自伤沦落，赢得英雄知己，桃花颜色亦千秋。

联语切情切理，文彩丰绰，堪称杰作，深受当时京城人士称赞。1982年，安庆地、县作文物普查时，关于檀玑代撰此联事，得到了材料。檀玑的子孙也多年保存着父祖的笔记，其中提到代小凤仙撰悼蔡锷挽联的经过。

吴承仕击鼓骂曹

吴鸿迈

约在1918年间，北京出现了听春社，是一些昆曲爱好者组织起来的。社员数十人，经学大师吴承仕(检斋)和著名文学家吴瞿安也都是听春社的社员。两人都生于1884年，均爱好昆曲。瞿安赠检斋一卷《顾曲麈谈》，检斋以《葑汉微言》一卷回报，当时在听春社传为美谈。

1923年10月，直系军阀曹锟通过贿选，当上了大总统。为了避免"国讳"，京剧《捉放曹》改称为《陈宫计》。《击鼓骂曹》更无人敢演了。有一天，检斋接到听春社的请帖，邀他于某日去西城堂子胡同曹宅参加"同期"会。他不知曹宅的主人是谁，但既然社里来邀请，就如期前往。

谁知到那里一看，大为愕然，原来是曹锟过生日，满朝文武前来拜寿。检斋在"堂会"开始后，勉强唱了半折《长生殿》中的"弹词"，越唱越生气，后半折不唱了，干脆回家，写了封信给听春社社长："前奉社帖，未审曹为何人，及入朱门，始知其详。彼间空气较热，勉奏'弹词'半折，嘶哑几不成声。自思歌喉已坏，不得伺候贵人。此后会期，幸勿发帖。前习《四声猿》一折，歌词虽已成诵，惟'渔阳参挝'尚未精熟，俟毕业后当

为诸公解秽耳。手此奉闻，并乞转致听春社诸兄。吴承仕谨状，清明节。”

过了两三个星期，听春社在北京正阳门外取灯胡同同兴堂举行公演，唱了几出折子戏。其中一出《击鼓骂曹》，由检斋扮演祢衡，演至“渔阳参挝”时，悲切凄凉，感人至深。公演时街头巷尾都贴出“海报”，预告这次公演的剧目中有一出《击鼓骂曹》。公演后，社会上纷纷传说，当局正在追查此事，对参加演出的人士将严加惩处。但不久第二次直奉战争爆发，冯玉祥在北京发动政变，推翻了直系军阀政府，皖系军阀段祺瑞趁机当上了临时执政。曹锟既然倒台，由吴检斋“击鼓骂曹”引起的一场风波也随之平息。但检斋不同流合污，敢于同祸国殃民的军阀作斗争的大无畏气概，颇令人钦敬不已。

郁达夫与张友鸾

张皖生

1921年，郁达夫在安徽省立法政专门学校任教。一天，到省立甲种工业专门学校门前的书报摊(省学联办)买《觉悟》合订本。值班的张友鸾，不认识郁，向他推荐郁作的《沉沦》。达夫笑说：“我就是郁达夫。”自此，两人不断交往。由于彼此意气相投，又都具有文学才华，故交谊日笃。

达夫是小说家、散文家和著名诗人。他最喜欢清代诗人黄仲则(景仁),为黄写过小说,同情黄的坎坷。因买《两当轩诗集》,跑遍全城,始终未得。友鸾想方设法弄到,达夫非常高兴。

他们两位也是酒友;郁酒量不大,却“逢饮必醉”。两人酒后,常登安庆西城垣的四方城,远眺莽苍景色;友鸾听郁大发感慨。有人认为达夫爱喝酒是“借酒浇愁”,友鸾知道郁常是“借酒骂世”。三杯落肚,脸由白转红,嗓门也大,种种不平,尽情倾诉。

郁达夫在安庆时,正逢反对李兆珍长皖而进行反军阀的罢工、罢市、罢课,目睹运动及听友鸾叙述“六二”学潮和反对省参议员贿选等斗争的胜利,便情不自禁地欢呼“民众终究战胜了”。

1922年夏秋之交,友鸾考上北平平民大学新闻系;恰巧郁也来京执教,并兼任平民大学教授,课后常拉友鸾去德胜门,开怀畅饮。一次酒后,对友鸾谈起在沪时的一段趣事:有人把他和郭沫若、成仿吾比做桃园三结义。郁是“刘备”,因其忠厚;郭为“关公”,因讲道义;成是“张飞”,因常打笔战。郁还风趣地说自己年龄比郭小,而人家却把他比做大哥了。

有一次,郁下课拉友鸾去酒店,适逢一辆押解囚犯的马车驰过,烟尘滚滚。郁指着车影说:“这好像进入欧洲18世纪的年代了。”友鸾也有同感。他俩对军阀统治的社会黑暗,十分愤慨。

友鸾大学毕业后，任京报编辑，负责《文学周刊》版。此时，达夫已在上海。友鸾知道郁诗根底深厚，于是写信向郁索稿，郁便把《著书都为稻粱谋》诗寄张。友鸾说，郁诗的成就不在小说、散文之下。

达夫烟瘾非常大，常说："要我戒烟，四脚朝天。"友鸾则云："别的没有赶上郁先生，烟瘾可领先了，一天不在五十支之下。"

张汝舟与林散之

周本淳

余斋壁悬一横幅，为林散之所书《八十自述二首》，其上小行草题额满纸，文云：

余少时即喜幽居读书，结屋江上，汝舟来去即过我江上草堂。时方春日，万木垂荫，绿窗人静，与汝舟纵论古今事，极一时之乐。后汝舟别去，曾作一画寄之，至今犹存箧中。感慨人生，时何能及。诗云："四月江南暮，离离草木阴。虚堂一夜雨，破卷十年心。积习君难改，孤情我自深。相思不相见，尺纸证跫音。"余今年已八十，所学未成，蹉跎以老，愧何如之。检《八十自述诗二首》以赠。本淳好学，应有以政之。丁巳冬至后散耳识。

凡见此帧者，莫不叹为奇绝，盖求林散之法书，率皆大字数行，从无如此细书小行草者。此无他，林与张汝舟之谊久而弥坚，以致推爱及余耳。犹忆抗战期中，负笈湘西国立八中高二部。张每称林之绝俗及江上草堂散木山房之幽趣，心向往之。其间林曾寄一横幅墨笔山水，题诗二首，第二首云："经年消息断，无处报平安。有客方垂钓，何人独闭关。春归牛渚月，江隔马鞍山。多少闲诗草，将谁可共删？"

久贮胸臆，欲拜谒林，苦无机缘。1957 年张在贵州以直陈时弊被诬为极右，有人避之，唯恐不及；"文化大革命"中备受摧抑，自不待言。而林则书名震耀一世，东邻尊之为草圣。偶然机会，知余为张之弟子而下放淮安平桥，竟主动以草书一幅见赐，当时有要势者欲求林之法书而不可得，林所赐带至县城已为大力者劫去，余虽未能寓目，然已感激涕零，特以《临江仙》一阕鸣谢。

其后张被遣回原籍全椒，过访林，两人一夜笔谈积两巨册，张戏称为"双龙(聋)会"。林事后有《代函十首赠张汝舟》云："江上匆匆忆草堂，秋灯寒夜话更长。却怜一别江南路，生死归来两鬓苍。"汝舟自乌江别后由湘入黔已四十余年矣。"君耳大聋我更甚，一番对话似毛锥。慰人手腕同康健，灯下双双笔似飞。"可见两人相知之深。张于 1943 年在湖南蓝田师院任教时，有《怀旧十绝句》云："江南曷月庆归哉，辜负窗梅七度开。苦忆乌江林处士，草堂披月待人来。"1980 年张自注云："以上十首怀师，首王胡二师，重传道也。此下四首怀友，首林处士，重品也。”

两师均已作古，今诵遗篇，犹如昨日，感何可支，谨记此段因缘，以告来者。

张恨水与《新民报》

赵纯继

抗战以后，张恨水参加重庆、北平《新民报》工作，共十一年。

《新民报》原是大型报，重庆复刊改为四开一张的小报。恨水主编《最后关头》副刊，刊头由泾县人吴作人教授作画，恨水写发刊词，说明刊名涵义，在于充分呐喊，非争取胜利不可。副刊还发表了许多抨击贪官污吏、同情劳动人民的文章。

1939年5月初，日机狂炸市区，恨水一家只得向南温泉疏散，借一平房居住；五年写了许多佳作。春秋时节常进城小住，总经理陈铭德必邀报社二三负责人宴谈，几成社规。恨水在重庆《新民报》发表的第一篇小说为《疯狂》，又陆续写《八十一梦》等长篇小说，各界评价甚高。

1944年，恨水五十大寿和创作三十周年，重庆抗敌文协、新闻学会和《新民报》社，拟联合举行庆祝，恨水婉谢。但成、渝《新民报》副刊仍出专刊相庆。重庆《新华日报》社长潘梓年著文称恨水用笔犀利，切中时弊。

1946年春《新民报》在北平设分社，恨水任《新民报》协理兼北平分社经理，北平《新民报》日刊，同年4月4日创刊。后发行四万余份，在北平是发行最多的报纸。该报发展之快，主要是靠副刊。初期有三个副刊，恨水设计并命名为《北海》、《天桥》、《鼓楼》。恨水主编《北海》，内容多为新旧文学及掌故轶事，载有茅盾的小说，老舍的笔记，郭沫若的考古文章，章士钊、柳亚子、沈尹默、于右任等的旧体诗，都很有吸引力。

北平《新民报》发刊的第三天，恨水在《北海》副刊上发表了著名的"重庆客"讽刺诗三首："先持汉节驻华堂，再结轻车返故乡。随后金珠收拾尽，一群粉黛拜冠裳。""恢复幽燕十六州，壶浆箪食遍街头。谁知汉室中兴业，流语民间是劫收。""昂首天外亦豪哉，掠过黄河万事哀。能解难民恩怨在，逢人不敢道飞来。"诗中深刻地反映人民群众对"劫收大员"的深恶痛绝。《五子登科》是恨水抗战胜利后在北平发表的惟一新作，也是他后半生最有价值的长篇讽刺小说，极受欢迎。

1946年9月，《新民报》扩大版面，继增三个副刊和一画刊。《画刊》由恨水主编，三日一期，随报赠送。北平《新民报》的社评，也由恨水执笔。

由于北平当局插手报社，报纸销路逐渐下降。1948年秋，恨水专事写作，终止了多年的新闻工作生涯。

恨水在《新民报》社时的创作，数量不及壮

年，但其谴责小说、暴露文学愈加成熟，这是恨水晚年一大进步，更为难能可贵。

张恨水演京剧

石上流

著名小说家张恨水，潜山县人。他的《啼笑因缘》出版以后，北京新闻界为赈灾举行义演，有话剧、京剧。最后压轴戏，是张恨水演《女起解》，他扮演剧中的崇公道，唱腔表演博得观众欢声喝彩。

1933年，北京新闻界同行为张恨水夫人做寿，地址在宣武门外大街的江西会馆。并演京戏，演员全是票友。张恨水参加《乌龙院》的演出，扮演押司张文远。剧中插科打诨，竟提到张恨水。演出中，阎婆惜问宋江："这张文远是谁呀?"宋江答道："乃是我徒弟。"阎说："你徒弟是个有名的小说家呀!你怎么没有成名呢?"台下哗然，掌声不绝。台词超出了剧情范围，观众都担心宋江无词可对。可宋江却从容不迫，答得流利。他说："有道是，有状元徒弟，无状元师傅啊!"于是全场哄堂大笑，佩服宋江机智。

可是台上又发生奇象，张恨水饰张文远一角，在表演中伴着小锣，本应十分自然，可他显得别扭，表情行动异常，走起台步来，总是一瘸一拐的。台下观众不知缘故，以为是他初走台步，不太熟悉，而神态又使人忍俊不禁；台上票友搭档，更是掩着嘴笑，却又不好出声，一直笑到双双下场。事后，人问张恨水那天在台上表演时，为何一瘸一拐地走台步?他才道出缘由："哪位票友搭档恶作剧，在我靴子里放了颗图钉。"

我与张恨水的交往

张效良

1927年大革命时期，我在北京半工半读，边教中学，边读大学。由于安庆同乡关系，认识了张恨水的弟弟牧野，从而结识恨水。

恨水平易近人，待人诚恳。不吸烟，不饮酒，却喜欢喝茶，尤爱六安瓜片。当时他在《世界日报》撰写小说，以其收入维持其妻子儿女以及弟妹等十口之家的生活。他写《金粉世家》、《啼笑因缘》等小说，脍炙人口，在社会上颇有影响。

1931年，我在北平大学法学院临毕业时，因共产党嫌疑被捕。恨水得悉，邀集安徽同乡会会长张超、师范大学校长兼安徽中学校长张贻惠共商营救，多方活动，始得释放。自此，我和恨水友谊日深。后因形势险恶，我被迫出国。

1937年回国参加抗日，次年南京沦陷，日军逼近安庆，我在高河埠准备去汉口。一天黄昏，

忽然恨水来访。一别七年,故友重逢,喜出望外。我邀他饭馆小酌,谈及国事,恨水不禁感慨。次晨,送他上路,约好汉口再见。我到汉口以后,由于工作需要,即与朱蕴山、章乃器、罗青、周新民等,赴安徽前线参加抗日动员工作,未得与恨水见面。1938 年我在重庆才见到他。同年秋,董必武交给我一些追悼平江事件牺牲同志的讣文,让我分送有关朋友, 以便争取各阶层人士的同情和支持。我首先想到恨水,但是拿不准他能否公开站在同情共产党一边。考虑再三,决定把讣文由重庆寄到南温泉新村张恨水收。两天后,我前去拜访, 他见到我就说:"我收到他们寄来的讣文了。"并拿给我看,又说:"奇怪,他们怎么会知道我的地址呢?" 我笑着说:"你是著名小说家,怎能不知道呢。"

我把平江事件的始末讲了一遍, 他说:"我要写个挽联以表心意,可是还未买白布,不知是否还来得及?"我说:"他们不讲究那些,用白纸写就行,下午我去重庆替你带去。"他连说:"那好极了。"随后走进里屋,一会儿,拿着一张纸条出来给我看。上写:"抗战无惭君且死,同情有泪我何言。"问我怎么样,我说很好,情意深长。于是他把这两句写在一张纸上。当天下午,我把挽联交给董必武,董很满意。不久,《新华日报》报道追悼平江事件, 在版面的显著位置刊登了他的挽联,引起社会普遍共鸣。

此后,恨水先后结识了董必武和周恩来,思想明显进步,常在《新华日报》上发表文章。他撰写的《八十一梦》在延安再版，风行一时，毛泽东在渝时曾接见了他。

建国初期，恨水在北京任《新民日报》社经理兼总编辑。“文革”时期，他受冲击病逝，我被群众专政，没能去看望他。谨作此文，以志怀念。

忆田汉在南岳

王振纲

国共合作抗战时期，国民政府在南岳衡山建立游击干部训练班，我任该班第九中队指导员。1939年春，田汉衔总政治部命，率京剧团来干训班慰问。教育长汤恩伯及副教育长叶剑英，派我负责接待。

一日，我陪田汉等游祝融峰，峰高十余里。登到五里处，道路崎岖，均感疲乏，遂入傍寺小憩。一老僧出迎，年约九旬，我介绍道：“此乃田汉先生。”僧人早闻田为知名人士，善书法。入座后，僧招待，并取纸笔，乞写条幅，且告谓：“此上峰巅，虽五里，其难登等于十里之行。”田汉略一沉思，挥毫立就：“行百里者半九十。”老僧连赞：“妙极！妙极！”

小憩后，继续攀跻。登高远眺，洞庭浩淼，湘江如苇，长沙似碟；峰顶古刹耸立，鸟瞰可见一洼地，状似簸箕，方半亩余。山下一河，流势奇特，自远至麓，洄流成五湾，其五湾处宛如入箕而又复出箕。僧说："此乃五龙朝圣之地。"田汉戏言："倘能葬身箕内，与龙相伴，子孙必富贵也。"

午间，僧设素宴，告以某月某日孙科来过，又某月某日戴季陶也来游过。田汉曰："戴先生信佛，来此恐磕过不少头。"

餐毕，我出资百元，僧人似嫌未足。在下山途中，田汉曰："彼僧靠素宴收巨资，安坐而食，不知于世何用?愧吾等不如也。"

临别之日，我请田汉留墨，以资纪念。承欣然命笔，诗曰："等是天边新燕子，家乡回首有余哀，东瀛共待除蛟去，南岳何妨纵马来。"当晚，田汉兴致勃发，独唱京剧《打渔杀家》，声情并茂。时过多年，犹余音绕耳。

高语罕在江津

潘际凡 口述　孟　堃 整理

高语罕，寿县正阳关人，曾留学德、法、俄。早年参加革命，为中共早期党员，后因故避难海外。抗日时期，高辗转回重庆，定居于重庆之西的江津东郊。适值陈独秀也住那里，两人交往频繁，经常一起漫步谈心。高身着长衫，有时也穿中山装，戴半宽边眼镜，因身材修长，人称他为

"大个子"。

日军侵占寿县时,我家也避难江津。家父康侯酷爱书法,无意中与高结识。既是同乡,又为异客,更加亲密,经常聚会,作诗、挥毫,为我家留下不少墨迹。

有一天,我放学回家,见高带着新版《烽火归来》托家父代售。又一次,高来我家,母亲特为他做家乡"小刀面"和"火烧馍"。高边吃边赞,勾起缕缕乡情,不禁嘘唏,乃将移居江津途中之作写成四扇条幅,赠给家父。其中一诗云:"香岛归来北地驰,慷慨惟嫌剑屦迟。三度中秋闲岁月,满腔孤愤似呆痴。"不久又赠诗曰:"十载鲁连不帝秦,输将热血洗乾坤。平生师友飘零尽,千里翻违伏枥心。"

高语罕居江津时,生计十分艰难,全靠亲友接济。留德学医的夫人王丽丽,只得重操旧业,开起妇孺医院。而高的卧室总挂着一幅自己书写的"白头老少年"横幅,不仅见其情怀,亦可想其风韵。

洪秀全称“天王”之来由

张　珊

道光三十年(1850)十二月十日,即洪秀全生日,洪宣布太平天国成立,封立幼主。咸丰元年(1851)二月二十一日洪秀全在广西武宣东乡正式登上太平天国“天王”王位。“天王”,一般人都以为这是中国历史上从没有过的怪名称,和帝王名称没有因承关系,是洪秀全学习西方天主教经义,从“天父”、“天兄”推演出来的。其实不然。

“天王”名称最早出现处,恰恰是儒家经典《春秋》经。《春秋》原书已不可见,但解释《春秋》的三传还在,即《左传》、《公羊传》、《縠梁传》,在这些照抄的《春秋》经文中，便有很多的“天王”名称。

如《左传》有十四条，即“鲁隐公元年(前722)七月，三年三月辛酉，七年冬；鲁桓公四年(前708)夏，五年夏，八年春，十有五年二月及三月；鲁僖公二十八年(前632)冬，三十年冬；鲁襄公三十年(前543)五月；鲁昭公二十二年(前520)夏，二十三年秋，二十六年冬。”俱提到了“天王”，指的都是不同时期的周天子。如“隐公元年秋月，天王使宰咺来归惠公仲之赗。”“隐公三年三月辛酉，天王崩。”“隐公七年冬，天王使凡伯来聘。”前两例说的是东周平王，第三例讲的是周桓王。在《左传》、《公羊传》和《穀梁传》上述的年代十四条里，均提到了“天王”，皆是《春秋》经文。这是《春秋》尊王，诸小国公侯对周天子的尊称。

此外，在“十三经”中，还有一处提到“天王”。如《礼记·昏礼》：“天子与后，犹父之与母也。故为天王服斩衰，服父之义也；为母服齐衰，服母之义也。”

洪秀全是一个熟读经书敏而好古的人，他从儒家经典名著中学了很多东西，包括“天王”名称。因之，“天王”决非洪从“天父”、“天兄”推演而来。

中国第一艘轮船诞生在安庆

宪 维 德 兆

安庆在中国近代工业史上占有重要位置，我国自制的第一艘轮船，就在安庆诞生。

自唐宋至元明，我国造船业向以规模宏大和技术精湛领先于世；而近代却大大落后了。鸦片战争后，洋人“火轮船”横行于中国江河，腐朽的清廷惊恐不已；洋务派人士提倡学习西方科学技术。

咸丰十一年(1861)底，当太平天国安庆保卫战的硝烟还未散尽时，曾国藩就在安庆创立了安庆军械所。在这里，两位不事科举的“布衣”奇才，承担了设计和试制中国第一艘火轮船的任务。一个叫徐寿，字雪村；另一个是华蘅芳，字若汀。徐重实践，造器置机；华善数学，专力推求动理，设计汽机。研制一年，第一艘中国自制的小火轮终于在安庆下水。

曾国藩日记描述详尽：“壬戌(1862)七月初四日中饭后，华蘅芳、徐寿所作火轮船之机来此试验。其法以火蒸水，气贯入筒，筒中三窍，闭前二窍，则气入前窍，其机自退，而轮行上弦；闭后二窍，则气入后窍，其机自进，而轮行下弦。火愈大则气愈盛，机之进退如飞，轮行亦如飞，约试演一时。窃喜洋人之智巧,我中国人亦能为之。”曾国藩的机要幕僚赵烈文日记也写:“二十八日雨,下午晴,晡时到徐雪村、华若汀处看火轮机。两君所作,用火运动,与洋制无异。”

同治三年(1864),安庆军械所迁南京,徐、华随往,更加改进,次年制成了举国闻名、朝廷赐名的“黄鹄”号小火轮。“黄鹄号”长五十余尺,时速四十余里。

安徽哥老会

若 木 小 石

哥老会又称哥弟会,因会中以兄弟相称而得名。会众多为遣散军人、手工业者、破产农民和游民。

太平天国时期,清湘军中有哥老会活动。太平军被镇压后,随着湘军裁撤,大批勇丁充斥两湖和长江下游,哥老会也在这些地区散布开来。

光绪二年至八年(1876—1882),安徽长江两岸哥老会开始发展,活动特点为:剪掉象征清政府顺民的大辫子;石埭、建德、桐城等地不断发生小规模起义;神化组织,谓自“九龙山”来。

1882年后,安徽哥老会组织成立,仅清政府发现的山堂就有十三个之多。山堂都发会员证—飘布。飘布有布质和纸质两种;还有绫制的

"飘绫",乃是骨干分子证书。首领称龙头,下分等级。宣城集义堂职务最多:有龙头、坐堂、陪堂、礼堂、刑堂、盟证、奏长、心腹、文圣贤、武圣贤、桓侯当家、披红当家、插花当家、青缸、花冠、悬牌、江口、铜章、铁印等名目。坐堂、陪堂等属内八堂;心腹、圣贤等属外八堂。

光绪七年(1881),清政府找借口杀死太平天国降清叛将李昭寿。其子显谋,为父报仇,化名李洪,参加哥老会,倾尽家财,密谋起义。1890年4月,李托镇江海关英国人美生代购军火。

次年5月,芜湖发生大规模反洋教案,李便积极活动,欲乘机起义。7月,召集各地哥老会首领在安庆"坐堂议事",推李为大元帅;约订11月6日在长江中下游沙市、汉口、黄石港、九江、大通、芜湖、南京、镇江、十二圩等处,长达三千里的长江沿岸竖旗起义。全军共分两大支,安庆一支,湖北一支。各处都"派定头目,分头布置"。

由于清政府防范严密,起义无法进行。李显谋再次举行黄石港会议,决定先在湖北沙市起兵。但因美生运送军火不慎,被上海海关查获,起义计划败露。继之,中华山会道首高德华在湖北被捕,供出各地会党领袖。李当即在安庆被捕,押送南京。安徽、两江、两湖哥老会员多被逮捕。原清军二品顶戴、哥老会五龙山龙头龙松年,原清军二品顶戴、狼福山集义堂和青山四喜堂龙头、负责起义军营务处的张道士,原清军二品顶戴、华山公义堂龙头、负责起义总粮台的徐耀庭等二十多名骨干,均先后被捕牺牲。1893年

4月,李显谋在江宁狱中自杀。

起义失败后，清政府连续三四年搜捕哥老会骨干分子,此后七八年,安徽哥老会未能再发动新的起义。戊戌政变失败后,维新派的急进分子组织哥老会起义，安徽哥老会也接受他们的领导,后被镇压。辛亥革命后,安徽哥老会为反动势力所操纵,日趋没落。

赛金花解黟前后

程梦余

1903年的一天下午，我和余履庄在黟县四聚京货商店闲谈，有当马快的本家程兴来到店里,谈起由上海解回黟籍赛姓名妓,住在王吉祥饭店,他说不出名字。履庄表示要去看看,我也同意,于是三人结伴前往。

到该店时,有刑房书吏周某(外号老六)正在抽大烟,欲敲那个妓女竹杠。程兴向赛介绍了我的身份,她热情接待。程兴和周老六为我吹嘘,说她的事情,如果我肯帮助,一切都会顺利。因按当时法规:犯人解回原籍后,必须有原籍的回文,才能恢复人身自由。而县衙就此敲竹杠,要她付四百银元才发回文。我从解差处看了来文,才知这女犯就是名传中外的赛金花(即傅彩云),由于她喜欢穿男装,其侍佣皆称之为“赛二爷”。

来文写明案由是“虐待婢女”。事情发生在赛住上海法租界时。依照惯例,清廷官吏不能在租界捕人,赛是去南市丹桂戏园观剧被捕的;原籍是黟县二都上轴郑村,姓郑,傅是从鸨母姓。因案情不重,加之程兴和周老六怂恿,我便承诺,向县衙说情。当即给了回文,只花二十余元,连给解差的,共费三十余元。赛甚为感激,当晚请我们吃饭,大家欢闹一阵。以后会晤,她又谈了庚子年的情况:八国联军入京时,她住在北京韩家。一天,几个德国兵闯入。她用德语,说她与瓦德西相识,德兵才不敢放肆,回去报告瓦德西,瓦即派马车接她进宫。她见到瓦,提出两项要求:一是要保护文物,不能重演圆明园的悲剧;二是要保护善良,由瓦规定一种标志,发给善良的居民,只要门上贴有那种标志,联军就不得入内骚扰。瓦听从了赛的意见。京华之文物未全毁尽,居民也少受凌辱杀戮,多少与她的活动有关。

谈话得知,赛准备从良,我很赞成;履庄则有意娶她为妾,被其婉拒。赛在吉祥饭店住约半个多月,生活无着,开支增加,颇难为继。由我疏通县里,让赛回上海。

后来我被袁世凯政府通缉,也由北京赴沪。在船上听说赛在上海仍操旧业。到沪以后,曾见到赛。我虽留起仁丹胡子,她仍然认识,并向人介绍,说与我是患难之交。接着讲了她在黟县的那段经历。从此,她常送饭菜给我。一次我病了,赛送药来,还要我住她那里,我谢绝了。

1934 年我去北京，住在黟县会馆，寄食朱师辙(时任北大教授)家。后来到郑颖荪(北大教授)处，郑很高兴地说："你来了正好，本想写信问你。刘半农(北大教授)要写赛金花传记，搞不清她在黟县的那段详情，所以有必要问你。"郑颖荪要我去看赛，我未答应，理由是：赛的晚境不好，作为老友，空着手去不妥，送她东西，钱不充裕。后来，郑与刘半农同来看我，就赛在黟的那段经过作了详谈。

1936 年赛金花病逝，北平许多知名人士都去送葬。"文化大革命"时，赛坟被平，"文革"后得以修复。大家纪念她，是因为在庚子年，赛在北京多少作了点好事。

安徽学政奇闻

宣啸秋

1898 年 9 月 21 日，戊戌政变后，光绪帝被囚瀛台，康有为、梁启超等逃往日本，六君子血染刑场。慈禧太后沿袭旧制，恢复科举。主持各省学政者也照例外放。

学政(官名)每省一名，由皇帝亲自选任，职权专管全省的文衡。凡是秀才、廪生、五贡(恩贡、拔贡、岁贡、优贡、附贡)等出身，皆由学政命题考试。安徽学政的衙门，在太平府(今当涂县)，其体

制与巡抚平行。生员考试分三级:县考、府(州)考、院考。院考由学政亲自主持,作最后决定。

学政的属员有教授、教谕、训导等职,分掌各该府、州、县学务事体。每当学政"按临"(到考试地点),这一府的教官,均须到辕门听差。五贡之中,拔贡十二年一次,优贡三年一次,均由学政考试,分别取舍。

学政的责任如此重大,理应由品行端正、学问渊博者担任。但清廷委派的学政,有的竟是驽骀之辈。例如1902年清政府派来安徽的学政绵文,就是一个不学无术的旗人。他的录取方法,说来令人难以置信。我是经过绵文之手入学的(考取秀才叫入学)。在那一次院考前,我就听人说这位绵文大宗师(学政的尊称)喜欢吸鼻烟。他有一只精美的鼻烟壶,爱之如命。他对考生的取舍,概取决于鼻烟壶。我乍听以为是戏言。

1902年,绵文"按临"泗州(当时为直隶州,统辖泗县、盱眙、天长、五河四县),考场在盱眙山上,考生到盱眙参加院考。我正在考场上认真写作,一个监考的承差轻声对我说:"你们用不着这样用心思,只须多买点好烟敬敬鼻烟壶就行了。

事后,我问他究竟是怎么回事?承差说:绵大人有个心爱的翡翠鼻烟壶, 比看卷子师爷的权力还大。绵大人的规矩,先令师爷按照各县录取名额,加倍挑选出来,他自己怕动脑筋,连一本也不阅看。他只把师爷挑选出来的卷子,一本一本的摊开,放在漆得亮堂堂的圆桌面上,中间空着。然后他就捻动鼻烟壶,让它在圆桌中间旋转,最后倒到哪本卷子上,哪本卷子就中选。直至完成应取名额为止。

承差是学政最亲信的人,听这番话,我才相信外界关于鼻烟壶的传说。当时有人撰了一副对联,嘲讽绵文的荒唐可笑。联曰:“老‘绵’绵太多,洗不净,揩不明,空剩无珠眼睛架;衡‘文’文倒运,左转来,右转去,全凭有口鼻烟壶。”

这副对联流传于皖,不仅讽刺学政绵文,同时也揭露了清朝科举制度的腐败。1905 年,科举制度始废。

虐 政 碑

野　鹤

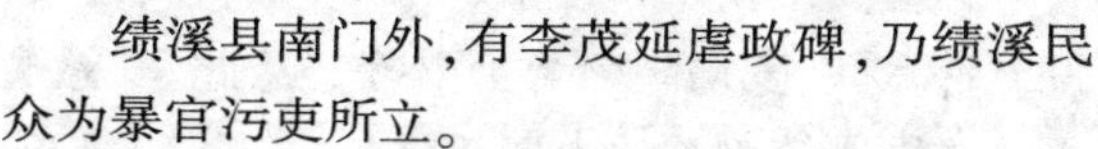

绩溪县南门外,有李茂延虐政碑,乃绩溪民众为暴官污吏所立。

民国九年(1920),李茂延来宰我邑,极为暴虐。催纳赋税,尤为厉害,民怨沸腾。卸任之日,民众为之立碑,以纪虐政,且雪愤恨。

不料,继任县长张钦均以为绩溪民众污辱前任县长,遂命警队将碑毁去。民众闻讯,大为愤慨,包围县府,质问是何理由;张县长词穷理屈,只得尊重民意,仍依原样,重新竖立。

民国元年安庆国庆

涂荫之

1912年10月10日为首次国庆日，安徽当政在省会安庆东郊五里庙新湖广场举行庆祝大会。参加者有机关、部队、学校、商民约两万人，可谓空前盛举。都督柏文蔚主持大会。全场红旗飘扬，欢声震地。下午又在城内万寿宫(俗称皇帝殿，即现在吴越街菜市场)举行光复战役殉职烈士追悼大会，参加者数百人，记忆中的挽联有："宫殿是谁家，试听万岁三呼，不拜生王尊死士；存亡犹未卜，虔望同舟共济，莫教地下哭人间。"

当时安庆秩序亦较稳定。迨至袁世凯窃权，倪嗣冲入皖，安徽革命势力受挫。从此，安徽遭受北洋军阀统治长达十四年之久。在此期间，安庆国庆再无当年之盛况矣。

芜湖"李漱兰堂"

许知为

芜湖"李漱兰堂"名气很大，50年代前的芜湖人大多知道，因为那时芜湖许多住户都向“李漱兰堂”缴纳房地租，原来它是为李鸿章长子经方名下掌管财产的。“李漱兰堂”的主人经方是过继给李鸿章为长子的，懂英、德、法等国语言，后出任驻英公使、招商局总经理。娶六七位夫人，其中有几位是外籍。

“李漱兰堂” 经管李府在芜湖的房地产，直到 1949 年，尚存房屋二百七十六幢，一万多间，建筑面积二十二万平方米，分布在二十八条街上。此外，“李漱兰堂”还经管经方的私家住宅(今芜湖市六中所在地)、三个当典、磨坊、四合山砖瓦厂，以及李府的一批花园：大花园、常春花园、景春花园、西花园、留春园、烟雨墩、藕香居等，实际包括整个陶塘的风景区。

1950 年，“李漱兰堂”总管周梦文代表李府，将二百七十六幢房产捐赠芜湖市教育局作为教育基金，至此，“李漱兰堂”不复存在。

安徽首次国共合作

胡庆昌

1923 年 6 月，中共第三次全国代表大会决定和国民党合作。次年 1 月，孙中山在广州召开国民党第一次全国代表大会，决定实行“三大政策”。下半年，安庆成立有共产党员参加的第一

个国民党区分部。1925年秋，决定成立国民党安庆市党部和各县党部。共产党员周新民、郭世杰等在国民党安庆市党部担任常务委员和执行委员。他们在安徽省教育会和第一师范、法专等校组建了区党部。

在两党合作领导下，创办建华中学，汤葆铭任校长，宋伟年(共产党员)任教务主任。1925年冬在安庆成立了中国国民党安徽省临时党部，直属广州国民党中央委员会领导，并由中央指派执行委员九人：朱蕴山、光明甫、周松圃(三人为常务委员)；沈子修(组织部长)；黄梦飞(宣传部长)；薛卓汉(农运部长)；史恕卿(又名大化，工商部长)；周范文(青年部长)；常恒芳(妇女部长)。其中共产党员四人。

1926年7月，叶挺率领北伐独立团攻克武昌，向长江中下游猛进。在安庆的北洋军阀嫡系、安徽军务督办陈调元，竟逮捕国民党安庆市第一区党部常委杨兆成(共产党员，怀宁人)，押往蚌埠杀害。同时强令法政专门学校、建华中学停办，国民党安徽省临时党部被迫迁往汉口。

在武昌，两党创办安徽省党务干部学校：主任高语罕(继为沈子修)，副主任李宜春，政治指导员周新民，秘书胡苏明，总务朱子帆，讲课教师有恽代英、李立三、彭湃、李达、瞿秋白、樊仲云。此外，还有董必武、朱德、邓演达、柏文蔚和徐谦等，也来校讲过课。该校有学生一百多人。虽只办一期，但对革命发展却起到推动作用。

为了配合北伐进军，省党部派周新民、舒传

贤(共产党员)、王绍虞(共产党员)、薛卓汉等回安庆与许杰、郭诚淑(女)等会合,组织宣传队、运输军和卫生队,迎接北伐军。林伯渠、李富春等参加领导的北伐军一部抵安庆,他们热情地送茶饭、运弹药和救护伤员。国民党省、市党部组织也得到恢复。安庆人民为庆祝北伐胜利,举行隆盛的祝捷大会,游行示威。市总工会、工人纠察队、农民协会和妇女等群众组织,随之纷纷成立,开展反帝、反封建斗争,打倒军阀和贪官污吏。难忘的国共合作,庆祝北伐的胜利,光荣地载入安庆史册。

闻驼子冒领巨额汇票

闻立夫

民国十年(1921)安徽铜陵县大通镇发生了一宗巨额汇票冒领案,此案几经周折,历时三年,才真相大白。

那年7月的一天,来往于铜陵、贵池、安庆等地的一艘邮船,正沿着贵池向安庆驶去,行至贵池殷家汇时,突然山洪爆发,河水猛涨,邮船被冲得无影无踪。

几天以后,河水退去。大通澜溪街"闻志和杂货店"店主闻驼子从贵池办货回来,经河南嘴附近河滩时,发现一只邮包,打开一看,里面有

一张两万五千元的巨额汇票。此款是上海某商行驻大通办事处，通过大通天宝银楼汇往安庆购买木料的。闻驼子念过几年书，且经商多年，懂得一些汇款取款的手续。他知道，要想提取这笔钱，必须持有大通天宝银楼出具的取款凭证才行。于是，他铤而走险，赶到安庆吴越街，找到一位刻字先生，用高价刻制一枚“大通天宝银楼”的印章，从安庆银行提取了这笔款子。闻用这笔意外之财扩大经营，生意越做越兴隆，后来干脆换了招牌，叫“闻隆和杂货店”。

再说大通办事处将款汇出后，数月杳无音信，便派人去安庆银行查询，才知款已由汇出行取回。而大通天宝银楼答复是绝无此事，但也觉得事关重大，便一同去大通警察局报案，要求尽快查处。

警局马上派出侦破组，到安庆银行查看了取款凭证，经与大通天宝银楼的印章相比较，确认是一起私刻印章的汇票冒领案。要想侦破此案，就必须先找到刻制这枚印章的人。侦破组找遍了安庆、桐城、枞阳等地城镇的大街小巷，查问了数以百计的刻字者，都没有找到。

谁知，那位刻字者，在刻章时就感到这里面有“文章”。为了少惹麻烦，刻后竟改跑单帮去了。由于经商无道，生意一直不佳，不久便又重操旧业。可是他不敢在安庆摆摊，而去了贵池。刻字先生一露面，就被侦破组盯上，在证据面前，刻字人只得向侦破组详细述说刻此印章过程，由于时间较久，只记得找他刻章的是位弯腰驼背的半老头子。此案又继续侦察两年,最后还是由刻字先生在大通镇上认出了闻驼子。

事败后,闻驼子用钱买通了当局要员,未进囹圄,只受到经济惩罚:一是追回冒领的巨款,并罚款两万五千元;二是承付侦破组几年的费用,并修建一条"浩字巷";三是在杂货店前筑一长宽各一米的砖石方台,曰"上下马碑"。不到几月,闻店便气息奄奄。

闻受惩后,心中气闷,经一番苦思,翻然悔悟。于是敦请两位高手师傅,改做豆腐生意。每晨,将门板放在砖石方台上,卖豆腐和干子。闻又别出心裁,做酱油香干,很受欢迎。如今,铜陵土特产中,有一种方如牌、薄如纸、味美可口、老少喜食的大通茶干,还是闻店的传世佳品呢!

周学熙大修迎江寺

金杏村

安庆迎江寺始建于明代,是中华名刹之一。寺和塔从明代以来已经几次修建,而以民国初年周学熙个人捐资兴修的工程最为庞大。

学熙,号缉之,民初任财政总长,卸任后在北方兴办企业。他是秋浦(今东至县)人,母亲住在安庆,民国四年(1915),他特来安庆探望,省亲后准备乘轮船经汉口回北京。因送行官绅太多,应接不暇,便临时在迎江寺休息。迎江寺方丈月霞特备素席款待。在酒宴酬酢中,招商局“江宽”客轮已逆水驶过安庆，学熙未能赶上。就在当晚,接到九江急电:“江宽”轮刚从九江港出航不远,突遇一艘兵舰自上游驶下,猛撞“江宽”轮,船身顿成两截,立即下沉。全船人员除两三名船员幸免外,全部丧生。

周的朋僚故旧,闻讯之后,纷纷前来祝贺。学熙之母更认为神佛有灵，使儿子幸免灭顶之灾。月霞和尚也登门庆祝,宣扬佛法无边,劝募广结“善缘”。周母也动员儿子报答佛恩,于是才有大修迎江寺之举。约计修建三年,建造了大士阁、十王殿及两侧的寮房。大雄宝殿的三世佛重新贴金,十八尊罗汉原来只是画在殿壁上,也改为泥塑金像。天王殿的四大天王、弥勒佛、韦驮也都焕然一新。对振风塔也几乎全部加固,塔内木板梯阶更换，改用水泥，每层周围换上了石栏。直到民国七年,才全部竣工。在振风塔下层壁上,嵌有一块两米多高的石碑,隶体大书:

> 中华民国七年戊午，前财政总长秋浦周学熙,遵先母吴太夫人遗命,捐资重修,并承安徽督军暨绅商各界,合力捐助,共成盛举。谨志。

王静甫矢志实业

孙国英

王静甫，字惠莲，贵池县武梁洲(今属枞阳县)人，清光绪丁酉年(1897)庠生。王受康梁变法维新之影响，弃科举，求新学，以优异成绩考取安庆高等学堂。时学堂监督(校长)为我国著名教育家严复。经严教育熏陶，又受张謇等实业家著述影响，王决心矢志实业。

静甫于安庆高等学堂毕业后，回乡推行地方公益事业，向农民宣传兴修水利，发展农业，并领众兴建九合圩排水设施。其时桐城东乡恶势力甚大，极力阻拦其排水于桐城境内。静甫不畏险阻，上诉到省。当省指令桐、贵两县知县同往察看时，静甫依据地理形势、水流走向侃侃陈词，终使桐城知县折服。从此九合圩排水大畅，年年保收。

辛亥革命后，静甫任贵池县劝学所所长及第一高等小学堂堂长。他强调“民以食为天”，勉励学子致力农垦畜牧业，以解民困。贵池秋浦湖西晏塘桥一带，湖滩肥沃水浅，极易开垦成田。静甫与人计议，于1913年筹建“三万”垦务公司，召集股东投资，组织民工挑堤；继而成立董事会，自任经理。1914年圈起万生圩，发动民工开垦，田归

垦者，只在收获后按章收取租金。由于股东当年即有红利，公司信誉大增，要求入股者日渐增多。1916年又圈成万成圩，1918年再圈成万宝圩，合成“三万圩”，计开垦面积一万八千亩，移来农民达三千多人。此后圩民丰衣足食多年。

时安徽省长吕调元(太湖县人)要政务厅长王涤斋（贵池县人）推荐人才到他家乡太湖当县长。王即推荐静甫，静甫坚辞。友人笑问：“你薄县长而不为，是否欲当省长?”静甫答曰：“官不是我这号不会媚上压下者干得了的。君不见郑板桥那样有名气的人，终因获罪上司而罢官。我的志愿不是做官，而是办实业，为国为民做点有益之事。”王静甫矢志实业不为官，深受人们敬佩。

挽联成冤状

张楚善

北洋军阀时期，有一年，当涂县商会为冤死的会长熊保安治丧。灵堂正中悬挂当涂县全体商民的挽联：

问水巡何事野蛮?匪未乱，盗未生，叛党未临，居然索饷开枪，敢害商家巨子；恨地方太无实力，兵不强，财不富，团结不固，只得忍气吞声，竟成海底奇冤。

事情的原委是：太平府(当涂)水师(后改水

上警察师)师长在本县驻防,向县商会会长熊保安勒索军饷,由于款巨期迫,双方发生争执。师长恼怒,竟拔枪击熊氏要害致死。熊为商界巨子,素孚众望,而熊之遗属及本县官府,均不敢向上级控告。但民愤沸腾,闹传到芜湖,省长兼皖南镇守使王普,只得派视察官来当涂调查,在熊氏灵堂巡视,抄下这副挽联,不由叹道:“此非挽联,而是冤状!”王普听过视察官回报,看罢这副挽联,知道确是冤案,迫于社会各界压力和众怒难犯,遂借口在芜湖召开“紧急军防会议”,将该师长逮捕,审讯确实,押解当涂,在下浮桥口执行枪决,大快人心。

挽联作者朱含章,字玉珊,当涂名流,清光绪年间拔贡。

日机第一、二次空袭南京

聂寅生

1937年7月7日,日本发动卢沟桥事变,抗日战争全面爆发。南京国民党政府及有关部门曾大量印制防空、防毒宣传品,广为散发,南京防空指挥部还多次举行全市性的防空和夜间灯火管制演习。当时,我在南京学习。学校在公园路第一公园对面,这里没有高楼大厦,视野开阔。

那年8月15日下午3时左右,南京响起空

袭警报，接着又发出紧急警报，旋即听到飞机声由远及近。我记得那天天色阴沉，出于好奇心，我跑出防空洞向天空张望，发现两架深灰色轰炸机低空飞过，速度很慢，不久，便听到炸弹爆炸声。下午5时左右，警报解除。6时许，张道藩向全市广播："这次空袭属于日'木更津'航空队，被我空军击落六架，其余敌机仓皇逃去。"又说："所投炸弹，都落在郊外，市区未受影响。"这是南京首次遭受空袭。当日机飞经上空时，市区各地防空哨都曾用步枪射击。

日机首次空袭受创后，白天不敢进犯，便于夜间偷袭。8月24日晚8时许，日机再袭南京，警报声响彻夜空。此时电灯关闭，全市漆黑，隆隆机声越听越近。接着一连串巨大爆炸声，震得玻璃窗哗哗作响。警报解除后，我出见东南上空仍有大片火光。当晚得到消息，八府塘被炸，伤亡惨重。次日上午去观察，焦臭火味远远扑鼻，八府塘一带已成废墟，有些地方还在冒烟，断肢残骸惨不忍睹。观者无不义愤填膺，同声谴责日军暴行。

八府塘是南京的棚户区，全为木板房、草房及低矮的草棚，极为简陋。住户大多是流入城市拉人力车、当保姆、捡破烂的贫苦农民，他们以为敌机只炸高楼大厦、政府机关和军事目标，不会炸他们这片破烂棚户。这里没有电灯，各家都用煤油灯照明。空袭紧急警报拉响，居民却未熄灯，这就给敌机显示了目标。于是，炸弹倾泻而下，造成惨重后果。这固然属于居民没有防空常识，但防空指挥部管辖不力，也难辞其咎。

这次夜袭南京的日机属于“鹿屋航空队”，被我空军击落三架，这是日机第二次空袭南京。以后日机来袭，就更频繁了。

邓石如在安庆的篆隶刻石

唐大笠

邓石如，字顽伯，号完白山人，家居白麟畈，出安庆(旧为怀宁县治)北门集贤关三十里许。山人生前除远游外，活动多在安庆。集贤关为山人寄鹤处，西门赤帝庙为读书处。今安庆市有山人篆隶碑刻十一石，其中一石隶书横匾“集贤律院”碑，藏市博物馆。十石现置菱湖公园，已立“邓石如碑馆”，供游人观赏。

“集贤律院”碑，高 40 厘米，宽 154 厘米，字大 20 厘米，书于嘉庆七年(1802)壬戌孟夏，为山人六十岁时作。笔法雄强茂密，古朴端严，其中

“院”字的最后一钩，似以竖捺两划组成，潜锋外露，前所未见。是石于“文革”中，从门头墙上拆下，断成两截，乡民用作粮仓基础。1980年初安庆市博物馆寻到此宝，刻石虽断，字迹未损。

篆书十石，每石高110厘米，宽30厘米。其中，四石书山人谒安庆大观亭侧余阙墓五律二首；一石书赵孟頫《游天冠山》五绝一首；一石书联语十四字；四石书玉箸篆《易经·家人卦》辞，凡二百零三字。

山人再传弟子怀宁方小东的隶书跋文对碑文书法有所评论，其中有云：“完白山人篆书以相斯间架，运史籀笔画，遒古宛丽，即唐李、宋徐、金党、元杨无一能及，他无论矣。近日包慎伯大令，以五品九等论书，神品只山人一人，可以概见。”

据考，十石篆刻，书于嘉庆十年(1805)，乃山人绝笔之作，尤为可贵。咸丰三年(1853)，大观亭中之原勒石兵乱被毁。同治四年，方小东根据童年于大观亭悟本法师处所得钩本，重刻于山东，后辗转为陈昔凡、胡子穆所藏。昔凡即陈独秀继父，工书画。子穆曾任安徽大学总务长，著名生物学家，曾于私寓园内立一碑亭，亭前铸铜鹤一只，盖纪念山人生前喜爱养鹤之雅事。1949年后胡将私寓交公，碑石移至菱湖公园存放。“文革”期间，这批刻石在职工保护下，幸免于毁。

稀世珍品《十竹斋画谱》

石纯男

安庆市图书馆珍藏的善本书中，就其艺术价值而言，首推《十竹斋画谱》，乃明崇祯年间原刻套色彩印本，名列《全国善本总目》，为我省所藏画谱之瑰宝。

《十竹斋画谱》分书画谱、墨华谱、果谱、翎毛谱、兰谱、竹谱、梅谱、石谱八种，每种四十幅，一图一文，互为辉映。作品除十竹斋主人胡正言创作的以外，还有当时名家墨宝。画谱印刷使用饾版法，显示色彩的浓淡明暗，花卉、翎毛栩栩如生。

该画谱为胡正言辑。正言，字曰从，休宁人，生于明万历十二年（1584），卒于清康熙十二年（1673）。"十竹斋"是胡寓居南京时的斋名。他是位多才多艺的艺术家，对发展徽州版刻艺术有卓越贡献。"饾版"和"拱花"这两种雕印艺术，经他与艺人共同钻研，提高到"备乎众美"的水平。《十竹斋画谱》和他的另一部名著《十竹斋笺谱》，是我国版刻艺术宝库的稀世奇珍。

《十竹斋画谱》原刻本传世稀少，是研究版画艺术的珍贵资料。市图书馆藏本系蒋元卿1950年去桐城访书时，从一老人手中购得。因流传已久，略有缺页、破损，现已装成册页珍藏。中有“芥子园甥馆”和“桐城吴国霖珍藏”印各一方。说明“画谱”曾为芥子园甥馆所藏，后辗转流入桐城吴氏之手。

“文革”时期，这部艺术珍品一度沦落废纸堆中，1978 年，编辑《全国善本总目》时搜集发现。它历尽沧桑，得以幸存，重显光华，诚可喜也。

晚清画家虚谷与任伯年

程齐燮

朱虚白(1823—1896)，安徽歙县人。咸丰二年(1852)出家为僧，僧号“虚谷”。常以诗、书、画自娱，尤工山水、花鸟，用墨纯厚，落笔疏放，章法奇巧，画风冷隽。其作品既有大画家徐渭的墨韵，又有“扬州八怪”的创作风度，深受人们的青睐。

虚谷是晚清新安艺坛的大画家，虽声誉赫赫，但从不自居，慕名求画者云集。他与小他十岁的任伯年交往甚密，结下了书画之缘。同治八年(1869)，虚谷与任伯年合作了一幅《泳之先生玉照》肖像画；光绪十三年(1887)，虚谷在任伯年画的高邕像上加题长诗(高邕，字邕之，杭州人，以草书作画见长)；光绪十七年(1891)，任伯年为虚谷作柳燕扇面，谦称虚谷为“道兄我师”。此

外，任伯年画过虚谷像，后为高邕所藏。任伯年去世后，虚谷为失去挚友而悲痛万分，悼念的挽联是："笔无常法，别出新机，君艺称极也；天夺斯人，谁能继起，吾道其衰乎？"由此可看出虚谷与任伯年相互敬慕，感情笃深。

虚谷画在安徽极少，安徽博物馆仅藏有两幅。一幅山水画，另一幅与胡璋、朱偁合作的大中堂。由于这两幅已是珍品，一般人很难目睹其风采。

黄宾虹的老师郑珊

郑克勤

晚清安徽画坛享有盛名的兄弟画家郑珊、郑琳，人称"江南布衣二郑"。郑珊，是国画艺术大师黄宾虹的老师，客居扬州，日绘山水，常饮于瘦西湖畔。两淮盐运使署录事黄宾虹，以绘画为余事，对郑珊甚为敬仰，遂游门下，受"六字诀"—"实处易，虚处难"，终生得益良多。

郑珊，字雪湖(1809—1897)，安庆市人，回族，从小家境清寒，读私塾一年。十七岁开始，以卖蒸糕为生，约十年，每行至梓潼阁一带裱画店辄停步不前，专心注视古今名人书画，铭记于心，回家默写，画艺日进。初学人物仕女，后改山水墨梅，历二十年始成名家，自武汉至苏杭，为士人熟知。一次旅居汉口,求画者日踵其门,汉口道丁潜生,也与郑珊结成莫逆交。光绪十年(1884),潜生专程来安庆,住郑家一年,日与郑氏兄弟敲诗论画。“江南布衣二郑”之称,即丁氏此时所赠。郑珊晚年在安庆登云坡建“盛唐山馆”,其房名“放眼楼”,又名“看山读画楼”。

郑珊山水画,似从“四王”入手,上攻明、元诸家,得元人笔意为多。所作山水皆古秀雄健,墨梅有宋人杨补之笔风。

胞弟琳,小珊十岁,擅人物、花卉、山水、翎毛,其指头画更为世所重。

黄宾虹与许承尧

严 溥

国画大师黄宾虹(1865—1955),名质,字朴存,中年更号宾虹,歙县潭渡人。著名诗人、清末翰林许承尧(1874—1946),字际唐,号疑庵,歙县唐模人。承尧小宾虹十岁,两人年轻时都曾受业于著名学者歙县西溪的汪宗沂先生,既是同乡、同学,又是挚友。

1904年,承尧入京殿试,授翰林院庶吉士。次年告假回歙县办学,创立新安中学堂,自任监督(相当于校长),聘请黄等人为教习。1906年,承尧和宾虹、汪鞠友等人在歙县组织反清的“黄

社”。社中不设社长,许任理事,主持社务,黄为助理。1907年, 宾虹为筹反清活动经费私铸铜元,被人告发,奔往上海。不久,承尧也离歙赴京,任翰林院编修兼国史馆协修。1909年,宾虹绘《潭渡村图》自上海寄赠寓居北京的承尧,以表思念之情,许在画上赋诗题记。

1930年春末,许自歙往沪,与宾虹相聚,并为宾虹题黄凤六山人《潭渡村图》。是年秋,许回歙,曾游歙北灵金山,登高庙山。此行主要不是欣赏山景,而是寻访古迹。原来明末歙县著名文人许楚,字方城,歙县潭渡后许人,后移居灵金山的支峰高庙山中,建“石雨草堂”,中有“懒云”、“芝母”二石。方城著作丰富,颇负盛名。承尧这次出游,就是寻访“石雨草堂”故址和“懒云”、“芝母”两石。可惜年久淹没,只得怅然而返。

寓沪的宾虹,得知此事,便画一幅《石雨草堂图》,并抄录许楚等遗诗,寄奉承尧,以示相慰。许收到后十分高兴,立即作诗四首回报。今录一首,以见许当时心情和对黄作品的珍爱。诗云:“海上书来夜扣扉,寒斋灯苦忽光辉。喜心翻倒还惆怅,怕化仙云脱手飞。”

许不仅对黄的书画以及考证古文字方面的造诣深为敬佩,而且对他的诗也很赞赏。宾虹游览四川后,写许多诗,辑成《蜀游诗草》一卷,寄请许作序。其诗甚工,试举《成都二首》之一:“万井鸣蛩催月坠,数行征雁带霜来。乡心愁绝关河迥,况听城头鼓角哀。”承尧读后大喜,遂即作序:“其诗状难状之景,如在目前。肖物之工,已为画笔所不能到，足与唐人争席。”

承尧七十岁时，黄自北平寄赠自绘山水一帧，并题诗为许祝寿：“悬崖百级梯，高瞰白云低。矫健松千尺，黄山寿与齐。”这年，宾虹八十岁，许也赠诗祝寿：“昔闻黄子久，以画得成仙。耄耋君今到，神明益炯然。大痴应不让，永命岂无缘？定见珍鸾凤，遨娱一万年。”

1946年7月，承尧病逝故乡。黄居外地，惊闻噩耗，悲痛莫名，亲撰诔词寄许家属。诔词概述许的生平，赞美承尧在办学育才等方面的贡献，结尾云：“遗言在耳，忧心如廑。”由此可见许生前对黄的无比关心和黄对许死后的无限追念。二贤之交乃艺坛楷模，可以风世劝俗。

金寿民和郝漱玉

张明文

金寿民，安徽枞阳县会宫乡人。父金达以父荫官湖北郧阳知府，三十六岁时卒于任上。寿民为人宽厚，学识渊博，以教书为生，与怀宁陈昔凡为至交，因而被陈聘教子独秀。两年后，为吴汝纶聘到保定莲池书院执教。因具保桐城人吴越入北洋高等学堂，后吴越炸五大臣事发，清廷追查保人，定寿民全家抄斩罪。寿民之妻郝漱玉擅长国画，时在北京。有日本使馆两个职员的女

儿,拜漱玉为师,每天前往学画,见漱玉泪流满面,全家被禁,问知原因,她俩即通过日本使馆见慈禧太后,再三要求宽赦金家。慈禧太后为讨好日本人,即下谕:"查金寿民马虎成性,不堪录用,驱逐回籍。"

寿民携眷回安庆,无处容身,只好住陈昔凡家。民国成立,寿民上书安徽都督柏文蔚,陈述吴越炸五大臣的经过;送上所收藏的吴越血衣,得批准建烈士墓于菱湖公园。后因陈独秀共产党事发,又牵连被抄家,只得回会宫老家——金家大屋。夫妻读书写画,名所居为"东郭山庄"。民国二十年(1931)寿民病逝。

郝漱玉的国画,蜚声日本。抗战时,日军侵占安庆,漱玉回住娘家石牌郝家山;安庆房屋为日军所占,知是郝的住房,未加损坏;但却拿走漱玉画幅多箱,因而流传很少。漱玉为人慈祥和蔼,里人呼为"金大太太"。曾为我画扇面,仿王维"雨中春树万人家"诗意,意境超脱,形态逼真,题字秀逸,惜"文革"中被毁。

漱玉卒年九十七岁,葬于郝家山。长子燕生因参加策划炸五大臣事,避难日本,不知所终。

懒和尚补壁

唐太庆

清末皖人陈独秀继父陈衍庶，字锡蕃，一字昔凡，擅绘事。他有一幅未完画稿，为安庆吴云所藏，1947年冬，迎江寺懒悟和尚为之补就。越四年，懒悟重审又题：

> 石谷子一派笔调，学者即（极）多，前清末我皖姜颖生、陈昔凡两先生，当推为海内第一。此幅系昔凡先生之遗稿也，丁亥冬吴君信友携来，画就其下部，而上半幅只有勾稿未画，吴君嘱为补拙，故强试俚毫，完成此幅，见者勿以我为多事。信友居士一笑，懒悟并志。

画跋交代比较清楚，清代"四王"中以王石谷(又称石谷子)影响最大，师法他的人最多，安徽有姜颖生与陈昔凡均为拿云高手。黄宾虹在《近数十年画者评》中，对陈氏评价甚高。这幅画不知何故只画了下半部，左下角钤有"陈衍庶字锡蕃"白文印一方。画的上半由懒悟按勾稿补画，终成完璧。展观此图，若非题识说明，实难分辨是出自两人之手。盖懒悟学石谷子，深谙其妙，与陈氏不相上下，浑然一体，珠联璧合。

懒悟，号懒和尚，晚号莽张僧，河南潢川人。

家贫，自幼披剃于潢川远铎庵，壮游吴越，并东渡日本。抗战前溯江西游，行至安庆，为迎江寺住持竺庵法师所留，专攻书画，不事经忏；常往还于安庆、九华之间，其作皆大江南北山川秀色。1949 年建国后，定居合肥明教寺，为省文史馆馆员、美协理事，是安徽颇有影响的画家。“文革”时期病逝，终年六十九岁。骨灰后移至九华山，立碑造墓。

陈昔凡、懒悟合璧山水轴，气韵生动，笔墨精妙；勾、皴、点、染，俱合法度，皆得石谷三昧。然昔凡终囿于王氏一法，未能脱去窠臼。而懒悟以四王为起点，远溯宋元，晚年力学新安画派，卓有建树，独具风格。

“天际真人”张树侯

杨慕起

张树侯，字之屏，寿州人，光绪十六年(1890)秀才。性耿介，学术上迥异流俗。曾致力于古典文学研究，工书画，尤精篆刻。1906 年在芜湖加入同盟会，为革命奋斗多年。有诗言志：“漫言祖国凭谁挽，要识民权自有真。万里沙场三尺剑，愿将鲜血洗乾坤。”后以反袁受厄，自甘布衣，晚年成为书画名人。其书法，真、草、隶、篆各体兼长，能独辟蹊径，自成一家。有行家评其书法由石刻入手,谓之“铁笔”。所作墨梅及着色红梅,笔力苍劲峭拔。识者云,系用篆籀笔法兼以行草之功所作。其遗墨多有藏者。我处尚存篆隶册页两卷,实为至幸。

树侯对书法之研究,造诣颇深。专著有《书法真诠》,1932年出版。书法名家于右任有诗题赞:“天际真人张树侯,东西南北也应休。苍茫射虎屠龙手,种菜论书老寿州。”

树侯篆刻,堪称斫轮老手。即使巨碣大碑,也往往不先书而以白刃刻于石上,竟与书后始刻无异,可见其刻艺之高。传世石刻有通元长老(原太平天国宿将)传碑、安庆五烈士碑、九烈士纪念碑、范传甲烈士碑、碧溪精舍碑、寿县涌泉庵记碑、合肥明教寺梅花碑以及私人墓碑等。

遗著有《淮上革命史》、《淮南耆旧小传》、《尚书注》、《联语录存》、《树侯印存》、《晚菘堂谈屑》、《诗文录存》等。有的存于他处,有的收藏我家。

篆刻家潘强斋

杏　村

抗日战争前,安庆有一位篆刻名家潘强斋。多少年来,除艺坛老人时常念及这位老前辈,一般人均不甚了解。

潘强斋,别号天马山人,世居安庆月形山。

早年以篆刻受知于同里陈独秀的叔父陈衍庶。衍庶尝谓:“邑中萧谦中之画、潘强斋之印,皆近世之佼佼者。”时康有为(人称南海先生)居沪上,书法名著宇内。强斋为南海治印两方,并将印拓《强斋印谱》邮康指教。南海观后,甚为嘉许。后强斋为人作书时,钤有“南海门下士”,盖以此故。怀宁白麟邓氏,世与潘氏姻娅,邓石如乃强斋的外高祖,所以强斋另一方印,文曰“后外高祖完白山人百四十年生”。

强斋治印,不宗一家,分朱布白,疏密有致。创作态度十分严谨。每治一印,频频绘制式样,必自为惬意者,方乃奏刀。强斋篆刻声誉日高,沪杭一带金石、书法同人,便为其制定润格,每字十金,刊西泠印社诸书刊中,由此可见一斑。

日军侵占安庆,强斋虽困穷仰屋,誓不为敌伪刻印。

1946年抗战胜利后病故。

我与“微雕”

周克强

我接触“微雕”,是从十三岁起。那年父亲弃家外出,母亲带最小的姐和我,由安徽流浪上海。母亲在表舅家帮佣,姐当童工,我为学徒。

一天,路过西藏路大新公司(今中百一店),

四楼画厅不收门票,我便进去参观。偶在一玻璃柜内,见一些刻有不同字画的象牙图章,瓜子大的牙板上,竟刻出一百四十六字,令我惊奇迷恋。之后,我求表舅资助一块大洋学习"微雕"。表舅提出"微雕"之难,我表示可以学成,铁杵能磨细针,刀山火海我也敢闯。表舅终于答应。

我购一块牙料,俟家人就寝后,便用缝被大针,试在牙料上划一条线,涂墨擦去,黑线显出。用放大镜一看,仅是虚点黑线。我心如焚,汗水直流,苦心焦思。次日问人,方知质量最好者,为德国礼和洋行的针,于是买了一根,晚间再试,终于成功。自此,每晚刻至两三点,仍不停息。因针太细,刻时中指指尖夹破出血,十分疼痛。脑部像有股水下流,鼻梁酸、涨、麻、辣,眼泪外涌,痛苦不堪。两个月后,痛状大减。旋得姨表姐夫郑筠(张大千师兄)指教,技艺渐高。但字迹仍无锋芒,像是铅笔、钢笔所画。

适值我也在学修钟表。心想,何不用锉刀一试?遂磨锉头,试刻几字。嗬!太兴奋了,有了笔锋,像毛笔字,执刀也不觉痛。由此,我改用元锉、三角锉、四方锉,使"微雕"更进一步。但正规的刀具怎样,却捉摸不定。

1946年,我在南京遇到"微雕"前辈吴南愚之子少愚,借刀具看,与我基本一致,惟其刀具似铅笔,刀作笔芯嵌在里面,我乃仿效,刻艺日进。从此我更加钻研不怠,即使"文革"期间,下放农村,白天劳动,夜晚仍点小油灯研究雕刻,甚至烧掉帽沿,燎焦头发,烫破头皮,始终坚持

不止。

80年代，我在一粒米大的象牙料上，刻过一千六百六十六字，画面由二十二头骆驼组成一队，可从26毫米绣花针眼里穿过，世人称奇。

1981年退休后，我到合肥历时三月，完成作品一百二十件，举行首展，轰动一时。后到各地展出二十多次。又去桂林、珠海等地展销，并当场表演，深受美、意、泰、新等八国外宾称赞，竞相争购，还邀我去其国演展。1984年，日本在雄本市，以国礼仪式接受我三件“微雕”礼品。我作“微雕”，为国家换得外汇二十余万元。尤其可喜的是，后继者不断开拓创新，“微雕”奇葩，更放异彩。

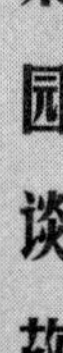

乾隆末年进京的徽班

石 青

高朗亭(1774—1827),怀宁人,以安庆花部合弋阳腔、罗罗腔、二黄等诸腔组成“三庆徽班”,于乾隆五十五年(1790),由扬州进京参加乾隆八十岁祝寿演出;演员阵容整齐,服饰讲究,色艺俱佳,名冠京城。今见梨园史料述及乾隆末年进京的徽班,似乎只有一个“三庆”。实则接踵而来与之齐名争雄者,尚有董如意所在的“四庆徽部”、程春龄所在的“五庆徽班”。驰名扬州的“集秀部”,也于乾隆五十八年(1793)进京。“四大徽班”(三庆、四喜、和春、春台)之形成,乃在乾隆以后嘉庆之初。

乾隆末年,徽班唱腔容二黄、吹腔、京昆、梆子,纷呈多彩,竞相争辉。有些演员博采众长,多才多艺,昆乱不挡,文武兼擅,加之演出雅俗共赏,故拥有广大观众。不仅连台戏受欢迎,即使片断折子戏也令人迷恋。当时在京演出的有《戏凤》、《醉酒》、《奸杀》、《比武》、《闹书房》、《拜月亭》、《刘金定》和《三笑姻缘》等二十余出。乾隆之后,道、咸时期,潜山人程长庚(1811—1889)出掌"三庆班",继往开来,不断革新,又把徽班推向新的阶段,余韵长存。丘良任教授《竹枝词》至今犹云:"燕京旧事说梨园,三庆班中好管弦。"可见其影响之巨。

徽剧始自石牌

蒋　放

徽剧不是和徽商一样发源于徽州，原是怀宁石牌艺人的唱腔,逐渐演变为徽调。清咸、同年间,杰出艺人程长庚的唱腔和艺术表演,大大发展了徽剧。之后,石牌附近,又有杨月楼、杨小楼、王鸿寿,都是驰名剧坛的大家。所以包世臣《都剧赋》说:"徽班映丽,始自石牌。"民间又有"无石不成班"之说。据《皖优谱》所载,安徽名优一百七十二人,安庆府属即占九十七人,徽州一府，仅祁门李氏八人，足见四大徽班，无论著名与一般角色，皆以安庆人居多。

人们误以徽剧产于徽州的原因：一因江鹤亭在扬州始创“春台班”，江为徽州歙县人，故称“春台班”为徽班，遂致误认徽剧为徽州所产，不知该班的名角郝天秀乃安庆人。二因高朗亭率“三庆”到北京，原叫“三庆徽”，后略去“徽”字，只称“三庆”。不明者误认“三庆”和“春台”一样，同为徽州产物。其实“三庆”、“四喜”、“和春”、“春台”称四大徽班，是不忘其创始原名的意思，并非说徽班即为徽州所产。三因怀宁、潜山都属于安徽，外省人皆称这两县伶人为“徽人”。如张际亮《金台残泪记》称徐桂林、陈长春、周小凤、吴惠兰等为徽伶，而徐桂林等都是石牌人。秦云《撷英小谱序》说：“咸、同之交，徽人程长庚……”所谓“徽”，同样是指安徽，而不是指徽州。但如把安徽的“徽”误认为徽州，那就错了。此外，盛行于安庆各地的徽调，至京变为京调后，保存原来徽调的多为徽州地区的艺人，这也是人们误认徽调创始于徽州的一个原因。

徽调遗响——岳西弹腔

谢清泉

清乾隆五十五年(1790)，安庆徽调艺人高朗亭率“三庆徽班”进京,名震京师,戏曲史家颇多研究,著作亦丰。其实,自乾隆以后,安庆各县的徽调活动从未中止。只不称徽调,而谓之弹腔。安徽岳西的弹腔,即是徽调之遗响。

岳西弹腔源于潜山县。岳西建县于民国二十五年(1936)元月,县内弹腔流传之处,先前都属潜山,从剧目到唱腔与潜山弹腔基本相同。嘉庆年间即有职业剧班——“积善堂”,它建于嘉庆二十五年(1820)。艺人早期有以林树为首及其同族四十余人,晚期有阮桂香、阮九莲等。主要活动于安庆、苏州、上海等地。清末民初,先后组建的弹腔戏班有十多个。光绪年间,是岳西弹腔的兴盛时期。

岳西的弹腔过去以灯会为基地,灯会是一种自发的民间文娱组织,有会首,能给弹腔班提供经费。戏班以往具有家族性质,成员由某一族人组成,世代传延。弹腔,旧称“大戏”,地位较高,可以出谱作会。在庆寿、婚嫁、玩灯以及民间节会各种严肃或娱乐场合进行演出,但一律不议戏价,不取酬金,旨在自娱自乐。

岳西弹腔戏班常演剧目,今追忆就有一百多出,其中不少与“四大徽班”之一的“春台班”演出剧目相同。岳西弹腔艺不显扬,但保留老徽调浓郁的乡土气息及古朴粗犷的韵味。作为古老剧种之遗响,剧目和音乐,殊珍稀有,值得研究。

余三胜是潜山人

严慎之

京剧创始人之一余三胜，籍贯何处？众说纷纭，莫衷一是。

1949 年前出版的曲艺小丛书对余三胜籍贯有罗田、淮阴、黄陂、潜山四说。建国后，三胜被录入辞书，称余为“湖北罗田人”，或附“一说安徽怀宁人”。某刊物有文，力主三胜为罗田人：“到罗田查阅过《余氏宗谱》(以下简称《余谱》)，余三胜祖居罗田县天堂寨七娘山，名开龙，字起云。生于嘉庆七年(1802)，卒于同治五年(1866)。”

仅见《余谱》有“三胜”，就肯定“余三胜”是祖居罗田，似乎勉强，除非谱上有其某支系源流。

《余谱》中，“三胜”以“起云”为“字”，儿子以“紫云”为“字”，父子同一字落脚为名，古今实不多见，否则会被视为兄弟。况且，《余谱》既载有三胜的卒年，“子，紫云”必有记载，“孙，叔岩”也应述及，而这些谱中只字未见。所以，此“三胜”就非彼三胜了。

清咸丰七年(1857)，侨居北京的潜山同乡，集资买下宣武门外一片场地作公葬义山，名为“京都潜山义园”。程长庚家谱记述，他的父母葬在义山。后来,他和妻子庄氏遗骸也被安葬在其父母坟前的一侧。《潜山县志》(1920年纂修)录有买地时竖立在义园中心的几块碑刻,其《首事题名》碑上刻有四十七个姓名,“程玉珊”(程长庚之字)殿后,他之前的第三个人,便是“余三胜”,与“程玉珊”并列一碑,可以认为这就是与之同时、同地、同操演员职业的余三胜。

1939年版的《皖优谱》说,此碑文被《北京梨园金石文字录》所收。《皖优谱》作者程演生,20年代曾在北京大学任教,30年代任安徽通志馆馆长,治史严谨,他对余三胜籍贯作过如下表述:“余见近人记载:《梨园系年小录》(1932年版),以三胜为罗田人;《评花新谱》以紫云(三胜之子)为淮阴人,《梨园轶事》则以叔岩(三胜之孙)为黄陂人。祖孙父子籍贯之不同如此,殊可笑也。惟《京剧二百年之历史》(1925年版)谓‘余三胜实为安徽人’。今考1920年修《潜山县志》:‘公产’门‘京都义园记题名’有余三胜,与程玉珊(长庚)并列,《北京梨园金石文字录》同。据此可证,三胜为皖人,彼之原籍实潜山无疑也。”

《京剧二百年之历史》和它之前的《伶史》就记载余三胜是安徽人。长期从事文化教育和历史研究工作的李则纲教授(1892—1977)在《安徽历史述要》中说明“余三胜,潜山县人”。

综考《潜山县志》、《伶史》、《京剧二百年之历史》、《皖优谱》及《安徽历史述要》诸书,余三胜真正籍贯应是安徽潜山县,而不是湖北罗田县。

黄梅调首次进上海

丁紫臣 口述　笑　佛 整理

黄梅戏班首次到上海演出是在何时，有哪些艺人，共演多久，什么原因又回安庆?对此，社会传闻多种，但都不太准确。我对来龙去脉比较清楚，述文说明于下。

1934 年以前，上海有不少安徽桐（城)、怀(宁)两县的手工业工人和各种匠人。他们在劳累之余，经常聚在一起唱唱家乡的黄梅调，偶而也在小茶楼里“粉墨登场”。既藉以自娱，又为周围的劳苦大众带来欢乐。

有位桐城人徐松山(绰号徐小胡子)，是个十足的黄梅调迷，时在上海，见有许多人喜爱黄梅调，心想，何不从家乡邀请一个黄梅调戏班子来沪演唱呢?遂由上海来到省城安庆，经人介绍认识了戏剧衣箱箱主胡振普，说明来意，并请他协助物色黄梅调艺人。胡旋领徐去见名噪一时、工青衣的丁老六，名永泉(1892—1968)。

丁老六闻听此事，非常高兴，慨然应允牵头组班。于是，由他出面邀请了当时安庆地区各县颇有名气的黄梅调艺人郑红霞（花旦)、琚光华(青衣)、潘孝慈(青衣)、王剑峰(老生)、柯三毛(老生)、周国华(小生)、李介谋(小生)、田德胜(花脸)、

琚世云(丑)、吴汉舟(打鼓佬)等三十余人，加上他的长子丁紫臣(娃娃生，艺名“七岁红”)，组成以丁老六为首的“共和班”，于1934年春进入上海。

这是所谓“不登大雅之堂”、被达官贵人视为“小戏”、“淫戏”的黄梅调，第一次被邀闯进上海滩，先后在九亩地、太平桥、民国路等地的茶楼挂牌公演。剧目除《劝姑讨嫁》、《山伯访友》、《荞麦记》、《天仙配》、《小辞店》等传统戏外，还移植了兄弟剧种的《莲花庵》、《杀子报》、《王清明合同记》、《秦雪梅游地府》等，深受在沪的安徽老乡和上海一般市民的普遍欢迎。

1937年“七七”事变后，上海沦陷前，时局紧张，人心惶惶。以丁老六为首、第一个进入上海的黄梅调“共和班”被迫解散了。艺人们挥泪告别，各奔东西。丁老六一家仍回安庆。这个在沪唱了近四年的戏班，不仅满足了上海黄梅调爱好者和戏迷们的愿望，而且也使黄梅调艺人们开了眼界，广见世面，同时在表演、化装、服装、舞美等方面，向兄弟剧种学习了不少有益的长处，从而为黄梅调后来的发展，提供了很好的经验。

黄梅戏习俗二则

汪同元

讨　彩

昔日，安徽黄梅戏外出演出，除与当地邀演会首商定戏金外，还可以在演出中间或结束时，直接向观众要钱，叫做“讨彩”。由花旦唱“彩调”，先谦一番，接着便唱“走上前来拜一拜，千拜万拜也应该，粗音土嗓莫要怪，求师学艺刚登台”之类的词。如观众许久未给彩钱，就唱：“这场彩钱要不到，胭脂花粉怎开销？回头叫声打鼓佬，鼓慢打来锣慢敲。讨不到彩钱不得了，无钱买米锅难烧。”唱词无需固定，有水平的艺人，根据不同对象，临时随编唱词。比如，对中青年女子，可唱“二小姐打彩笑盈盈，恰似当年穆桂英。大破洪州得全胜，万人争夸女英雄”。瞧见不给彩钱想溜的观众，便唱：“小气鬼，你不要跑，前面是座独木桥。若是木桥踩断了，跌断腿来折断腰。”还有讨“苦彩”，即借悲剧主人公的遭遇来索取彩钱。如演《孟姜女哭长城》，可由扮演者唱：“孟姜女来泪盈盈，寻夫手无半分银。君子不把彩礼送，何日才能到长城。”此外还有“插花”彩，即演员故意卖力演唱，让观众高兴，向舞台掷钱。

禁忌与行话

黄梅戏艺人旧时有许多禁忌。开台要杀鸡，以图吉利。演旦角的演员不准坐衣箱，行路不能走在前面，不准摸其他角色的头。碰见谐音不祥的事物，不得直言，要说行话。如说“死”为“土”，说“伞”(散)为“雨盖子”，说“雾”(误)为“帐子”，说“鬼”为“矮路子”。上场、下场、过场叫“上马、下马、过马”。要求抓紧时间叫“马前”，拖点时间叫“马后”。道白叫“戒角子”，跑叫“马驴子”，吃叫“收回子”，唱叫“收飞”，睡叫“拖条”。更换演出地点叫“开把”，等等，难以胜计。

1949 年新中国成立后，这类封建迷信的禁忌与行话都被逐渐淘汰，但作为史话，却值得回味和纪录。

坤记书局与黄梅戏

章安庆　章　惠

严凤英是著名黄梅戏表演艺术家，全国闻名。而其父严思明对黄梅戏的发展也作过重大贡献，坤记书局也对黄梅戏的传播起过作用，但均鲜为人知。

20 世纪 30 年代末至 50 年代初，安庆东门城内火神庙旁，开设过一家有名的坤记书局，专营木刻印刷品黄梅戏小调。80年代我在书局创始人李炳坤旧居，发现数块当年印刷黄梅戏小调的木刻板，并访过炳坤的胞弟庆义，据他介绍：

李炳坤，安庆市人，年轻时为爱好和生活所迫，创办坤记书局。开始规模较小，后因主营木刻印制黄梅戏小调，深受广大群众喜爱，名噪一时。不少县都来书局购买，生意兴隆。鼎盛时期，拥有各类黄梅调及折子戏木刻板五十余套，如《梁山伯访友》、《蔡鸣凤辞店》、《女驸马》、《罗帕记》、《董永卖身》、《破镜重圆》等。

坤记书局发展较快，另有一个重要原因，就是与长期为书局提供黄梅戏小调唱腔资料的严思明有关。他把女儿凤英唱的小调，如《三保游春》、《戏牡丹》等，加工整理后，送到坤记书局，书局据此样稿，请人摹本雕刻，印刷出售。严思明原为落拓知识分子，接触广泛，能写一手好字，供稿很讲信用，准时无误。有时来送样稿，炳坤不在，由庆义代收。他开始只整理加工凤英唱的小调，后来进一步搜集安庆其他黄梅戏老艺人的唱词。思明在凤英三岁时与妻离婚，抗战时沦落到石印店里。

40年代初，国民党怀宁县政府曾三令五申禁演黄梅戏。坤记书局经营者却冒着极大风险，为生存发展，苦心经营。万没想到，却为黄梅戏的发展起了广为传播的作用。

建国初期，安徽省出版社曾在坤记书局征收部分木刻板，进行挖掘、整理；取其精华，剔除糟粕，编印了《打猪草》、《天仙配》、《女驸马》等优秀剧目。我和潘其泰参与征集工作，李炳坤也大力配合。

黄梅戏之所以能有今天的繁荣昌盛，由地方小调发展为全国大剧种之一，这与严思明对黄梅戏小调唱词整理加工和坤记书局的刻印发行是分不开的。

黄山“四绝”

王成志　张　杰

皖南黄山，胜景独造，具有泰山之雄伟，华山之峻峭，衡山之烟云，庐山之飞瀑，峨眉之清凉，故有“天下名景集黄山”之说。明代著名地理学家徐霞客尝称“五岳归来不看山，黄山归来不看岳”，洵是确论。黄山佳景，首推四绝：

一、奇松。黄山“无峰不松，无松不奇”。高者达数丈，小者不盈尺。最著者为十大名松，即迎客、蒲团、连理、接引、麒麟、凤凰、卧龙、探海、龙爪、黑虎。迎客松名扬天下，礼宾之象，万古长青。其他名松，或如鸾鹤，或状麒麟，或苍龙卧坡，或凤凰展翅，苍劲峭拔，各显奇姿。

二、怪石。黄山山体为花岗石岩，故特多怪石，千姿百态，争奇斗巧。大石雄伟，突兀峥嵘；小石灵幻，鬼斧神工。罗列于峰巅、悬崖、绝壁之上，或人或仙，或禽或兽，天造地设，维妙维肖。其中如"五老上天都"、"仙人指路"、"仙人下棋"、"金鸡叫天门"、"猴子观海"、"梦笔生花"等，皆形象逼真，妙趣横生，可谓大自然之杰作。

三、云海。云海为黄山之奇观，"黄山自古云成海"，故有"黄海"之称。全山云海，向分五区：玉屏楼观前海，清凉台瞻后海，白鹅峰看东海，排云亭望西海，光明顶眺天海。观云海以十一月至翌年五月为最佳，每当雨后初晴，千岩万壑，云雾弥漫，惟有几座高峰露出山头，如海中岛屿。云海瞬息万变：无风时，银絮平铺，如大海浪静；起风时，云奔雾涌，如怒海狂涛。有时忽浓忽淡，远近峰峦，若隐若现，令游人如入梦境，为黄山平添神奇色彩。

四、温泉。黄山温泉从紫石峰下喷涌而出，温度、流量终年不变，水质清澈甘美。久饮能增进食欲，健胃强身。长期沐浴，可治皮肤、风湿及神经等疾病。黄山温泉古名朱砂泉，因蕴藏于朱砂矿体内，而能发热。我国各地温泉以硫磺居多，独此泉缘于朱砂，殊为可贵，故有"五岳若与黄山并，犹欠灵砂一道泉"之谓。

上述奇松、怪石、云海、温泉"四绝"，为黄山之特色，闻名中外，然黄山之峻峭奇丽，灵秀多姿，并非"四绝"所能尽括。

雪中黄山云海

程管侯

黄山云海，为宇宙奇观，常见于霁时，难见于雪时也。乙亥(1935)仲春，余揽胜至狮子林，投宿精舍。夜，雪骤下，积寸许。翌早欲登始信、狮子诸峰，已可望不可及。诵苏东坡"琼楼玉宇高处不胜寒"之句，意境颇似。过午杲杲日出，而雪仍未止，乃策杖清凉台，玩赏雪景。至，见台下云气掩没，林峦弥漫，天际若大海银涛，因风起伏，间现雪山一角，又若琼岛孤悬海中。盖即所谓云铺海也。斯时上丽有日，中霏有雪，下敷有云。而余置身于云之上，雪之中，日之下。视日光、雪光、云光，相互映射，成为不可思议之奇景！平生罕见，因记之。

黄山天都峰辟路建栏记

许世英

位黄山之中央，竞爽争雄，各擅奇胜者，为天都、莲花二峰。莲花折叠嵌空，奥折诡异，登者犹时有其人。天都则自明僧普门、阔庵师徒外，达其巅者，四百年来，屈指可数。夫游名山而不登其主峰，岂人情哉；天不可阶而升，斯则已耳。奇伟之迹，不至其时不显；艰巨之任，不获其人不胜。乃者荜路启山，施工未半，吴稚晖即捐资开辟途径，椎幽凿险，俾成天梯，而勇者得以先登。棣华社同仁陈璧君、褚民谊等，鼓勇造巅，乃复捐资增建铁栏，翼弱掖危，俾成石栈，而怯者亦得以踵武。视曩时抱绠插铺，爪钩趾蹲，为猱升，为蚓伏，为蟹行，为蛙进，使尽平生气力，仅乃得达者，难易奚啻霄壤；谓非开发之美谈，登临之快事也哉。余负冬官考工之责，两登绝顶，躬历其境，益叹二者之工程，必不容已，导扬成就，无异于开剑阁之栈道矣。

道教圣地齐云山

安士杰

齐云山位于休宁城西十五公里，峦峰竞秀，茂林不绝，宫观殿宇，金碧辉煌，为中华四大道教圣地之一。明唐寅赞曰："江南第一山，天下第一神。神山两相峙，庇我古今人。"清乾隆帝也称誉："天下无双胜景，江南第一名山。"

唐乾元年间(758—759)，道人龚栖霞以洞筑室修真。南宋方士余道元，于齐云岩建真武祠。

明代辟真武观、三清殿；素养道士汪泰元，仿武当道观，建玉虚宫于紫霄崖；嘉靖壬辰年(1532)世宗亲题齐云山匾额，赐建太岁宫。其时道观、佛寺一百三十余座。嘉靖至万历，香火极盛，游人日达三千之众。

齐云山不仅是道教圣地，而且是风景名区。全山三十六峰，峰隐云霓绕紫烟；七十二怪岩，岩藏深壑吐甘泉。飞云、流泉、云海、佛光，瑰丽神奇；丹崖绝壁，奇石巧布，岩壑交错，洞穴深幽，不可穷极，尤为绝胜。

玉虚宫气势雄伟，内通幽洞，外接紫霄崖；崖巅清流飘洒，飞雨成珠，如珍珠帘，挂于宫前。紫霄崖秀拔诸峰，镌有"第一洞天"。崖下碧莲池，宋代朱熹赞为"天门夜不关，池水时常满"。旱涝持平，晶莹如镜。真仙洞府崖壁峭立，怪石突俯，巍峨于月华街白云深处。太素宫粉墙黛瓦，古朴庄严，踞于高山之巅，宛如仙境。

历代碑碣石刻千余，现存近七百块。唐寅撰书的《紫霄崖玄帝碑铭》立于玉虚宫前，堪称齐云碑王。

道教圣地，风景名区，"文革"遭毁，劫后重光，景点扩建，宫观再新。香烟缥缈，钟鼓齐鸣，道场法事年约百次，游览香客月达万人。道教名山，源远流长。

南国小长城—白崖寨

潘寿田

被誉为“南国小长城”的白崖寨，坐落在安徽宿松县城西北三十公里的白崖山上。据《宿松县志》载：“元末义民吴仕杰，率众垒寨御寇，依东峰、西峰、北岭，各以为营，间列市肆。惟西营峰悬一线，峭壁摩天，窄径凌空，飘崖百仞。”足见此寨极为险峻。明崇祯年间，寨城部分石块坍塌，邑庠生徐行捐资重修，使寨堡益加坚固。崇祯十年(1637)二月，农民起义军领袖张献忠，与“左革里五营”合兵，来到寨东北麓枫香驿，恰遇明总兵左良玉和监军史可法率兵堵击，双方展开激战，明军损伤较重。左良玉被迫退回安庆，史可法只得带领余部蜷伏寨中，赖寨民相助，依据险要地势，坚守待援。终因围困日久，军中粮食断绝，难以为继。

一日，史可法忧心如焚，夜不能寐，悄悄走到营前石壁旁，写联语自吟：“听涧底泉声，呼天地是歌是哭；看阶前月色，问英雄还死还生。”吟罢，欲以身殉职，突然援军赶到，张献忠的骁将闯达天措手不及，战死于寨南麓“关门石”下。史可法转败为胜，即登西峰犒军，题“最上一乘”四字于纪功石上。数百年来，“纪功石”题刻犹存，东峰石壁上的联语依稀可辨，北岭的旗杆坡、旗夹石、点将台、炮台、阁部祠诸遗迹，都有种种传说。

此后，白崖寨声名远播，以难攻易守，居宿松四十八寨之冠，成为历代兵家必争之地。1932年9月，中国工农红军某部路经此地，突然遇到四面追剿的敌军，在师长徐海东的指挥下，以白崖寨为主据点，奋战阻击，终于大胜。战后，将士们在关帝庙开会，成立红二十七军，并站到刻有"凤卧龙栖"四个大字的石壁旁，击掌庆功。

现在的寨城，是清光绪二十六年(1900)，由工部主事进士贺欣捐款扩建。城墙环绕五个山头，周长八里，共分五门：东曰朝九，西曰百花，北曰乘风，南曰听雨和攀龙。城堞高三米，宽一米，险要地段呈双层；修筑十分牢固，比元、明旧城更为雄伟。寨景清幽，有流泉涤虑，松风爽耳，花雨洗愁，白云飘思；寨内名胜古迹与山间奇花异草融为一体，相映成趣。古时的军事要寨，今已为游览胜地。

和县宋梅

瞿成珠

和县西南约三十里丰山有株北宋古梅，世称“宋梅”，距今已有九百五十余年，现为我国四大古梅之一，原株高8.5米、枝长6.8米。

古梅为北宋歌豪杜默所植。默字师雄，长于歌行，与欧阳修、石曼卿友善唱和。据《小学绀珠》记载：“石曼卿之诗，欧阳修之文，杜师雄之歌，豪于一代，合称三豪。”欧阳修对其歌行赞誉备至，其《赠历阳杜》诗有云：“杜默东土秀，能吟凤凰声，作诗几百篇，长歌仍短行。”

杜默虽才高学博，但屡试皆不得志，遂慕自

然，啸傲林泉。于宋仁宗康定元年(1040)，辞别诗友欧阳修，购得名梅，离京回里，植于宅畔。

清乾隆年间，翰林院学士朱筠与州守刘长城来杜村观梅，知梅园古亭，昔建已废，刘乃鸠工再建，题曰“梅豪”；朱筠为园门撰联：“北宋歌豪，风雅远绍；南阳善士，德政绵延。”并撰文刻碑记述：“梅根有六，其四已枯；枯者如铜、如石、如蛟蛇之死，而骨倔强不解也。不枯者二本，本大五六围，茎上三丈余，花覆小山，与枯木交错，枯者亦荣。其花品种曰玉蝶梅，形如蛱蝶万千，翻舞山石左右而不去；久观，忘其为梅树也。”

民国二年(1913)知县金宝全重修梅亭，书长联云：“卜筑继风流，香飘亚父城中，芳信千秋传梓里；诗歌竞豪放，梦到醉翁亭畔，词人一例喜梅花。”1949年建国初期，再次修整梅园。

宋梅亦称“半枝梅”，以花开半树而得名，但杜默《植梅》诗、明戴本孝等人咏梅诗，都无此景象描述。朱筠赞梅之铭，也只有“玉山皑皑”、“屑葩酷襞”之句；写其盛开之时，也只有状如玉山、暗香浓郁等语。可见半树轮番开花在清乾隆以后。

此梅花形似蝶，故又称“玉蝶梅”，史书多认为属玉蝶梅种。经武汉园林专家鉴定，确认此梅属果梅种，而非玉蝶梅种。此树每年花后，结实累累满枝；以之烹茶，香气四溢，沁人心脾。稀世古梅，足魁天下。

吴敬梓的大花园

孟醒仁

读过《儒林外史》的都知道天长杜府有一个儒林豪杰杜少卿，家中花园“广阔，一望无际”。作为杜少卿原型的吴敬梓，在全椒确有一座大花园——遗园。全椒吴氏兴于明末，盛于清初。敬梓曾祖辈兄弟五人，四成进士。曾祖吴国对建“遗园”，叔曾祖吴国龙是国对的孪生胞弟，建“远园”。

遗园和远园曾被误认为是一座园林，实际上原为两座不同的园宅，绝非一园。国龙中进士，早于国对十五年，先占城区；国对因城小，只得于城外西北角另建园林。远园的命名，出于陶渊明诗：“结庐在人境，而无车马喧；问君何能尔，心远地自偏。”敬梓从兄吴檠写园景有《心远堂》诗，也可作远园命名的旁证。同时，他的《咫闻斋诗钞》，对园中洗桐阁、牡丹厅、木兰坞等十二景都有题咏。

由于国龙居官较久，长子吴晟中进士，官知县；五子吴昺，又中进士第二名，俗称榜眼，从编修升侍讲，出任湖广学政，财力雄厚，将远园增建得十分精美。国对营建遗园，取古文“遗世独立”之义而命名。国对虽中进士第三名，俗称探花，官至侍读，但从宦时间较短，且长次二子只以监生、贡生最低科名任州同知，无以媲美国龙一房，园中只有探花宫、赐书楼，景点较少。虽如此，遗园仍为一代名园。

敬梓移家南京，写《移家赋》作了精彩描述："迩来洛阳名园，辋川别墅；碧柳楼台，绿苔庭户；群莺乱飞，杂花生树；枕石漱流，研朱滴露。有瑰意与琦行，无捷径以窘步。"他一往情深地美化家园，历历在目；其高洁情操和景行，也跃然纸上。然而传至敬梓，却家道中落，园林荒芜，荣华与落泊形成明显的反差。

总之，遗园和远园各具特色，远园小而精美，遗园大而开阔。这两所园林，早已荡然无存，但园主的流风余韵仍唤起人们的思绪和遐想。从晚清至民国，直到今天，海内外专家学者常常寻踪探胜，想望徘徊，指点吟唱，不忍遽去。给人以启发和振奋多矣。

英王府遗址辨

胡寄樵

安庆有一座太平天国英王府，但府址在何处，一直为史学界关注。我于1965年调查发现，并初步提出，英王府是在任家坡，排除了当时所传"清节堂是英王府"之说。

王府坐落在今安庆市任家坡45号—49号，占地约14725平方米，现存建筑面积3636平方米；由三组房屋构成，院深四进，以正中一组为中心，向东西两组蝉联各筑偏殿。外围有住宅、更楼、花园等。建筑总体不算宏伟，然地理位置十分重要。这里地势较高，可以俯瞰长江，成为瞭望江面攻守情况的极好场所。

此外，在府内多处发现有壁画、彩绘残痕和雕有龙凤图案的滴水瓦、飞凤牡丹纹饰的上马石以及用大理石开凿的旗杆石、金鱼缸等。

安庆市博物馆经过技术处理，还从墙面剥剔出被六层白垩土覆盖的四壁壁画，重现“飞凤舞狮”、“瓜瓞绵绵”、“飞凤奔马”等图，这些带有吉祥含义的画面，在绘制手法上与江、浙一带太平天国王府遗迹风格一致。

按赵烈文《能静居士日记》云：“督帅行署，伪英王府也。在城西门，府屋颇多，不华美，亦不甚大，满壁皆彩画。”《曾国藩日记》也载：“开船至南门登岸，移寓公馆，即伪英王陈玉成之府也。”清光绪中吴友如绘制的《克复安庆省城图》，清晰地绘出了清军入城时主攻目标之一的“天子第”(即任家坡任氏第宅) 以及宅内独具太平天国特色的“望台”。这些史料不仅指明了英王府的具体方位和造型建筑，而且能互为印证，对英王府府址的认定，确凿无疑。

英王府系利用任氏第宅改建而成。太平军失败后为李鸿章所据，后为他的从子丹崖的太史第。百余年来几易房主，屡经改动，但其主体建筑轮廓未变，依然不失旧观。只是目前府内尚有不少住户，拆改现象严重，不利于王府的妥善保护。

"清节堂"，系光绪年间营造，其前身建筑是太平天国官衙，并非王府。而《安徽清节堂征信录》所载"清节堂"系在太平天国"伪府"、"伪屋"遗基上建造这一史实，又为《怀宁县志》漏载。故将调查情况公诸于世，以正淆讹。

段家祠考

牛 耘

20年代以来，曾被人们误作段祺瑞私祠的段家祠堂，坐落在今合肥市六安路西北侧，即新华社安徽分社、安徽工学院和合肥市第一人民医院一带，方圆二百余亩。

段家祠堂是由家祠、公馆和花园组成。祠堂为三进九大间，飞檐斗拱，雕梁画栋，琉璃绿瓦，高大风火围墙，雄伟壮观；昔为合肥祠庙之首，连包公祠、李公(鸿章)祠也难以相比。过去在祠堂山门之内，高悬"段氏家祠"四个柳体金字横匾。越过山门，是天井院，旁有月门，通向西边公馆。天井院正面有一道粉墙，辟有三个洞门，中间一门较大，能容四人并肩出入。穿过粉墙，又是天井院，迎面一排格子门敞厅，为段氏子孙祭

祖或聚会之所。

厅内悬有三块黑底金字匾额，正中一块楷书“百世流芳”，西边一块隶书“再造共和”，东边一块行书“国家干城”。西厢墙上还悬红底金字竖匾，上书一连串官衔；中间突出段芝贵三个大字，形似一张特大名片。最后一进是敞厅，供奉段氏祖先牌位。可惜这座庞大建筑，毁于1974年大火。公馆位于祠堂之西，相互连成一体，均系砖瓦平房。祠堂三面有花园环绕，现已踪迹难寻。

据考，段家祠堂为段芝贵所建。此人世居合肥杏花村，曾做过李鸿章书童，后投靠袁世凯，爬上高位。袁世凯称帝，他是拥护帝制的“七凶”之一，被袁封为一等公。袁死后，他得到段祺瑞庇护，并参加讨伐张勋复辟，变成“再造共和”的功臣，官至陆军总长。

1920年直皖战争，他指挥的第一路军被直系击溃，亡命天津日租界。从此便想叶落归根，在故里杏花村前修建私祠。公馆落成之后，原拟取名“段公祠”，作为纪念自己的生祠。当请徐世昌题匾时，徐告诫说：“现在是什么时候，连我做过大总统的都不敢建什么生祠，你这样搞，定会招灾惹祸!依我之见，不如叫段氏家祠，请文人题匾，最为保险。”段接受这一建议，不仅在祠内未敢留下碑记，终生也不敢在此居住。

由于段芝贵和段祺瑞同是合肥人，又先后任过北洋军阀政府陆军总长，皆称段帅，易使人混淆。加上后来段祺瑞的官位、名气大大超过段芝贵，以致许多人都把段家祠堂误作祺瑞私祠。1928 年冬，蒋介石来合肥，听说是段祺瑞祠堂，曾专程拜瞻。80 年代初，省、市文物部门还以段祺瑞是历史名人为由，要求政府加以修复。

其实，段芝贵与段祺瑞同姓不同宗，在小站练兵时方始相识，引为兄弟。当时人们按职分等，称段祺瑞为老段，呼段芝贵为小段。老段久居外地，在合肥无片瓦寸地。小段则腰缠万贯，合肥、天津、东北等处皆广置田产，被视为赃官。我少时曾识建造段家祠堂之工头，得知建祠始末。1949 年建国后，又查访有关人士，多年淆误，涣然冰释，段祠业主是小段而非老段。

陈独秀故居

李帆群

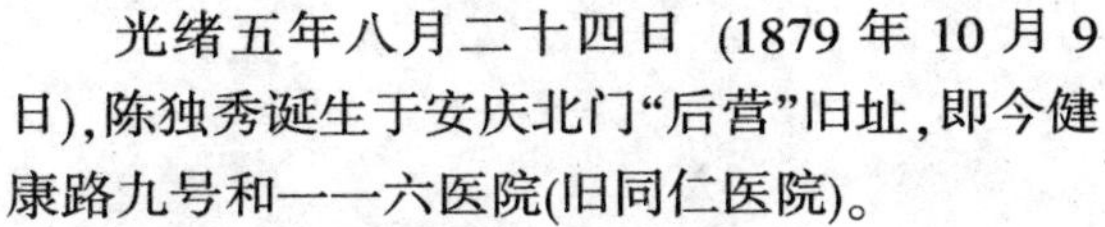

光绪五年八月二十四日 (1879 年 10 月 9 日)，陈独秀诞生于安庆北门“后营”旧址，即今健康路九号和一一六医院(旧同仁医院)。

“后营”是清代营房，大部分毁于 1861 年太平天国安庆保卫战，渐成一片菜田，所剩旧房住了一些贫民。独秀祖父晓峰、父象五(衍中)、母查夫人、叔昔凡(衍庶)、婶谢夫人、兄孟吉与两姊，一家九口共居于此，洗脸用饭锅，捡菜帮为食，生活十分贫寒。

由于基督教圣公会征地，独秀全家搬至大南门培德巷东口。1898 年独秀长子延年诞生该处。

不久，独秀一家又从培德巷东口迁居南水关土产仓库西侧“道院”。大门今已重修，花墙月门拆除。1902 年独秀次子乔年诞生此院。

以后独秀叔父昔凡在东北做官，有积蓄，便于安庆南水关至仓库东，建造两层楼房。门楼宽达丈余，前置木栏杆。院中花园嫣红姹紫，香气四溢。独秀三子松年诞生于此。抗日时期楼毁，现在原址建新楼，旧貌全非，不可识矣！

1912 年独秀任安徽都督府秘书长，与高君曼另居于宣家花园。此园已早拆除。

独秀在安庆三十余载，先后搬迁故居共有五处。现仅土产仓库“道院”旧房部分可见，其他四处俱已无存。

舒　席

宋象乾　汤光升

舒席又称“龙舒贡席”，具有技艺精湛、篾纹细致、柔软光滑、凉爽消汗、不生蛀虫、经久耐用、可叠小卷、便于携带等特点。

舒席产地舒城，古称舒国。汉代定名为舒县，又称龙舒。自唐建舒城县至今已一千二百多年。

舒席，创于明代，传言当时有一篾匠借宿于舒城北门外平顶山孝子庙(今舒城县舒席厂)，取此山水竹，编织龙纹花席留赠和尚。明英宗天顺年间(1457—1464)，吏部尚书秦民悦过此烧香，见方丈室中铺此竹席，甚为诧异。秦带此席回京作为贡品，深得皇帝赞许，御批“平山奇竹，龙舒贡席”，遂有“龙舒贡席”之称。从此“舒席”身价百倍，朝野争购。舒城县城制造舒席作坊应运而生。但由于匠人保守，很长时间技艺未能传开；仅几家作坊能够保持舒席传统工艺。

舒席选材精严，原料全为水竹，以小叶水竹最佳；因小叶水竹纤维细，拉力强，节平而稀，性软凉爽。为防虫蛀，采伐多选在头年十一月至次年二月。选料时，凤头、罗节、暴节、伤痕、枝丫，均须剔除。

舒席盛传古今，扬名中外。早在20世纪初，舒席远销日、美、意、印等国，博得嘉许。1905年在“巴拿马国际商品赛会”上获一等篾业奖。1917年在“芝加哥国际商品赛会”上又获得一等奖。1926年和1934年分别参加上海、杭州两次全国展览会，均获一等奖。

抗战前，日本前田洋行派专人来舒城订购宽八尺、长十尺的舒席十条，作为结婚礼物献给天皇裕仁。1949年建国后，舒席工艺进一步提高。原来的人字纹、回纹等简单的几何图案，发展为优美的竹编画。凡古今字画，翎毛花卉，均能编织得维妙维肖，栩栩如生。1952年至1955年，舒席工人邵文俊等编织过《克里姆林宫钟楼》、《和平鸽》、《天安门》画，送北京展出。1960年，舒席参加莫斯科国际经济展览会，获工艺美术金奖。

徽梨

李明渊

皖省南部盛产雪梨，因主要产地在徽州，故称徽梨。以上丰镇为集散地，又名上丰梨。徽梨与本省砀山酥梨齐名，均为水果中上品，驰名中外。据《歙县县志》载："南洋劝业会称歙县雪梨上品，色白气香。"又云："梨称雪，状其色也。吾邑梨初结实时，用柿漆纸就树上裹之，故色白，不裹则青而皮粗。"

雪梨，细嫩、果大、汁多、味甘；每个重约半斤，特大者可超二斤，亦有砀山酥梨鲜嫩甘甜之美，而其润肺，去火生津，药用价值尤过之。

徽梨品种较多，最先上市者名金花早(金花盖顶)。顶盖部呈金黄色，清香可口，因成熟最早，故名。其次为细皮，白嫩而甜，味甘厚耐久。再次为麻亨，深黄色，果大皮粗，上多斑点，削皮切片食之，也甚甜美，且可久贮，藏至春节。此外，尚有棠梨、沙梨、迟花梨、扁合梨等多种。另有独特之品种为涩梨，因味涩，不作水果食用，而用虫草、川贝等十多种名贵中药，和以适量冰糖，制成梨膏食之，可止咳消喘、补肺益肝、顺气健脾，疗效显著。《歙县县志》也称："涩梨，治肺疾，有效。"徽梨有医食之妙用，值得研究开发也。

雪天牛尾狸

胡耀华

安徽郎溪姚村丛山峻岭中生长一种珍贵动物，名叫雪天牛尾狸，其肉嫩鲜美，别有风味。清李调元在《南越笔记》中写道："其食惟美果，故肉香肥而甘，秋冬百果皆熟，肉尤肥。"故又有果子狸之名，又称花面狸、玉面狸，俗称"白鼻子"。动物学上属哺乳纲、食肉目、灵猫科，大小如家猫，栖息山林中，善攀缘，夜间活动，嗜食果实、谷物、小鸟和昆虫。

牛尾狸以其味美难得，历来被视为席上珍品。宋代诗人多有吟咏。宛陵梅尧臣有五律云："北客多怀此，炮羊举玉卮。吾乡虽处远，佳味颇相宜。沙水马蹄鳖，雪天牛尾狸。寄言京国下，能有几人知？"苏轼兄弟对这种美食也有评咏，苏轼《送牛尾狸与徐使君诗》："泥深厌听鸡头鹘，酒浅欣赏牛尾狸。"苏辙也有《筠州二咏牛尾狸诗》。玉面狸佳肴美味，使诗人垂涎。宋代虞俦《和汉老弟牛尾狸韵》诗云："堂馈流涎玉面狸，也知臭腐出神奇。"由于诗人的赏识品题，牛尾狸身价百倍，宴席上均以有此山珍为荣。乡民捕猎无度，日渐稀少。《安徽通志》云："此山兽也，州邑(指广德州及所属建平县)甚多，四方以为珍味,然今也难得。”

现雪天牛尾狸已凤毛麟角,濒临灭绝矣!

泾县宣纸

史廷林

宣纸产于泾县,为中华瑰宝,驰名海外。以泾县原属宣州,也集散于此,故曰宣纸。

宣纸产生于东晋, 始见唐史。唐天宝二年(743)宣城郡献,纸质优良,甲于各地,作为贡品。当时名画家韩滉,用宣纸作《五牛图》,至今仍珍藏故宫,保持原来风貌。南唐李后主监制的“澄心纸”,“肤如卵膜,坚洁如玉,细薄光润”,“滑如春冰密如茧”,乃宣纸精品,冠于一时。宋欧阳修用于写《新唐书》和《新五代史》,并选送好友梅尧臣;梅“把玩惊喜心徘徊”,爱不释手。苏东坡得而感称:“古纸无多且分我,自应给札奏新书。”

历代书画家都爱宣纸“韧而润,薄而坚,光而不滑,厚而不腻,洁白如霜,折搓不损,不腐不蛀,永不变色”,故有千年寿纸、“纸中之王”之誉。民国十五年(1926)更获巴拿马国际博览会金奖。

宣纸生产,唐宋时遍及宣、徽、池三州十余县;泾县所制尤为工致,清代仍名震艺林。赵廷挥诗写盛况云:“山里人家底事忙, 纷纷运石垒新墙。沿溪纸碓无停息,一片春声撼夕阳。”后经

战乱,惟泾县生产。泾县宣纸,始自宋末,曹大川自南陵迁徙泾县小岭,以造纸为业。19世纪后期,逐渐发展,除曹家外,泾县北乡、东乡,也陆续开办纸棚。

当时宣纸牌号,有步记、秀记、云记、鸿记、生记、墨记、鉴记、德记、瑞记、松记等十多家。民初到抗日前,增加泰记、达记、馨记。30年代初,泾县造纸槽户竟达四十家,年产一百四十万刀。除老牌号外,又增西记、仰记。各宣纸棚,在上海法租界吉祥路一带,设宣纸总发行所;芜湖、苏州、汉口等处,设分销点。

销路多集中在上海、北平、天津,其余分销国内各省以及日本和东南亚地区。抗日战争时期,宣纸生产下降,只有十余户,纸槽二十余连,几乎全部停顿。建国以后,由仅存的五个纸槽组织联营,1954年成立泾县宣纸厂,年产二百吨。

宣纸种类较多,按配料,分为绵料、皮料、特净三类。按尺幅,分四尺、六尺、八尺、丈二多种;1964年试制成功失传数百年的一丈六尺长的"丈六宣"。依厚薄,分为单宣、夹宣、罗纹、三层贡、十刀头数类。按加工,分为玉版、蝉衣、云母、珊瑚、泥金、冰琅、墨光,以及生宣、熟宣、罗纹、龟纹等。1979年生产的特净,荣获国家优质金奖。旋又恢复了久已失传的"白鹿、水波帘纹编花"产品。优质宣纸,畅销中外。

胡开文徽墨

傅　勇

清乾隆年间有四大墨商，著称于世。除曹素功、汪近圣、汪节庵三家之外，又有绩溪县人胡天柱，创胡开文徽墨。

天柱，字柱臣，号在丰，乾隆四十七年(1782)先在屯溪租赁采章墨店经营墨业，后又买下休宁城汪启茂墨店，承接了墨室、墨模，改两店为胡开文墨店。开文二字是从休宁城南门外一亭匾额“天开文运”中摘取而来。

屯溪墨店，由天柱长子恒德主事；休宁墨店由其次子余德掌管。胡氏父子取前人之长，选料考究，做工精湛，质量超群，因而卓然列于四大墨家，并有后起之秀的美称。同治八年(1869)，天柱六房四代孙首先在芜湖开设沅记胡开文。光绪年间八房五代孙在上海开设广户氏胡开文，同时又在歙县、安庆、杭州、苏州、镇江、汉口、沙市开设胡开文分店，业务发展遍及全国数省。各店经营繁盛，胡开文徽墨声誉日显。

胡开文制墨不守成规，不断创新。珍贵神品“花佩宝墨”，自乾隆百多年来，一直被当作贡品选送宫中。“铭园图”与“棉花图”等墨，是胡开文墨店的得意之作。嘉庆元年(1796)雕刻的“铭园

图”,墨模是按铭园六十四座亭台楼阁设计雕刻而成;图样精美,工艺细致,堪与明清两代最佳墨模匹敌。写实的“棉花图”从棉籽播种、灌溉、耘畦、摘尖、采棉、日晒、轧核、弹花,以至纺线、上机、织布,表现了劳动人民植棉织布的全过程,无不各尽其妙,望之生动入神。墨图系诗人、画家、刻工之心血结晶,实为中华民族文化的宝贵遗产。由于胡开文之墨精湛无比,高妙无双,清宣统二年(1910)南洋劝业会评给胡开文墨最优等金质奖。胡开文杰作之一“地球墨”,1915年参加巴拿马万国博览会又获金奖。于是胡开文墨店更名扬九州,徽墨也誉满海外。

清末和民国年间,外侵内患,战乱不止,驰名中外的胡开文墨店深受其害;各店勉强维持生计,墨业奄奄一息。建国后,政府积极扶持徽墨生产。1956年分散在休宁、屯溪两地的制墨业,合并成立屯溪市公私合营徽州胡开文墨厂;歙县、绩溪分别成立了歙县胡开文墨店和绩溪胡开文墨庄。精美绝伦的墨模,举世闻名的传统徽墨,有文物价值的墨艺之花,又绚烂多姿,重焕光采。

宣 笔

张志澂

宣笔历史悠久,创于千年以前。公元前223年,秦将蒙恬伐楚,路经宣州中山,发现山兔毛长,始用此毛造笔。宣笔为文房四宝之一,历代书画家视为珍品。

东晋王羲之曾向宣城郡求笔,笔工陈氏得藏他的《求笔帖》。唐代书法家柳公权向宣城求笔,陈氏赠给"右军笔"二枝。宣城诸葛氏也是制笔世家。南唐宜春王李从谦,求得一枝诸葛笔酬以十金,称为"翘轩宝帚"。陈与诸葛两家所制宣笔,被列为贡品,为书法家争购。

唐代耿纬曾作《咏宣州笔诗》:"落纸惊风起,摇空浥露浓。丹青与纪事,舍此复何从!"对此欣赞不已。白居易也写有《紫毫笔诗》:"紫毫笔尖如锥兮利如刀,江南石上有老兔,吃竹饮泉生紫毫。宣州之人采为笔,千万毛中拣一毫。"可见宣笔价贵难得。

宋代制笔,技术益高。诗人林和靖得宣笔拍案赞赏:"每用之, 如麾百胜之师, 横行于纸毫间,所向无不如意。"梅尧臣夸"笔工诸葛高,海内称第一"。欧阳修称"硬软适人手,百管不差一"。并把宣笔和京城笔比较,认为京笔"但能装管樢,有表却无实”。苏东坡应举用宣笔,“终试,笔不败”,喜称“奇妙至极”。

宣笔选料极严,精工细作,装潢雅致,刚柔适中;魏晋至唐宋,一直列为珍品,惜明清以来,逐渐衰微。

1949年以后,泾县宣笔厂成立,继承传统,不断革新,各种宣笔,品种日增。80年代,有二百多种,尤以紫毫见长。所制“长颈鹿”和独创的“古法胎毫”等笔,皆得书画家好评。林散之诗云:“人人都爱湖州笔,岂料泾城笔亦佳;秋水入池花入座,斜笺小草兴无涯。新制几支初试手,尖圆齐健足堪夸;谁谓今人不如古,蒙恬自是后生家。”喜赞宣笔,今胜于昔。

宣笔除供应北京荣宝斋、上海朵云轩诸书画店外,还远销日本、东南亚各地。宣笔往昔曾夺冠,而今开放又生花。

歙　砚

张　志

歙砚古为贡品,向与端砚齐名。既为书画工具,又作艺术观赏。端石温润,歙石坚润,两者俱优,各有所长。清徐毅评砚,认为歙砚石质远胜端砚。乾隆元年(1736)弘历帝才即位,就派臣官搜求歙砚。

歙砚始于唐代，取材于歙州婺源(今属江西)龙尾山，温洁坚润，呵气成珠，石色清莹，文理缜密，抚若柔肤，研磨无声，发墨畅利。南唐时期，元宗甚喜之，特于歙州设置砚务，搜罗佳石，营造御砚。至宋景祐、嘉祐，广开砚石，更多精品。

宋代梅尧臣、苏东坡，得龙尾砚，视为珍宝。东坡诗赞："罗细无纹角浪平，半丸犀璧浦云泓。午窗睡起人初静，时听西风拉瑟声。"书法家蔡君谟颂扬歙砚："玉质纯莹理致精，锋芒都尽墨无声。相如闻道还持去，肯要秦人十五城。"认为歙砚价值连城，将其与"和氏璧"媲美。

歙砚精美，品类繁多。有金星、银星、罗纹、眉纹。罗纹砚分古犀罗纹、暗细罗纹、金银间刷丝罗纹；眉纹砚分金眉子、短眉子、长眉子；诸型皆佳，各展其妙。1976 年，合肥唐墓出土的"唐代歙石箕形砚"，为今存最早的一方歙砚，乃稀世瑰宝。

歙石由于质优，南宋人滥开，以致石坑洞塌。直至民国，极少采制，故歙砚传世少于端砚。懿萃精品，尤为罕见，藏家皆有歙砚难求之感。1963 年由于政府扶持，歙砚恢复生产，造型美观，刀法细腻，雕琢景物，出神入化，配之以砚匣，犹锦上添花，更令人爱赏不已。古歙砚匣，多为漆制，今用梨木、红椿"量体裁衣"，达到摇晃无声。匣盖题款铭识，或篆隶，或行草，古色古香，典雅绮丽。歙砚重与端砚争光，誉为砚中珍品。

芜湖铁画

石　木

芜湖铁画，蜚声中外，素称艺苑奇葩。创始人为清康熙时汤鹏，号天池，江苏省溧水县人，定居芜湖。以打铁为生，得以专心研究铁画。铁画融国画、雕塑为一体，锤琢焊接而成，古朴典雅，苍劲挺秀，潇洒多姿，更富有立体感，极受人们喜爱。

乾隆时书画家梁同书作《铁画歌》序云："汤鹏铁画，兰竹草虫，无不入妙，尤工山水。大幅积岁月乃成，世罕得之，流传者径尺小景耳。"歌曰："至今画手排浮萍，铁画独有汤鹏名。仙人化去神龙迎，三十六冶皆不灵。"韦谦恒与梁同书唱和："荆关一去倪黄死，无人能写真山水。谁从铁冶施神工，万里居然生咫尺。"诗赞在荆浩、关仝、倪瓒、黄公望著名山水画家之后，汤鹏铁画最为奇妙。乾隆时，六书金石家朱文藻有诗推崇铁画胜过前朝画家真迹："乍看似墨泼绢素，山水人物皆空嵌。风飘秀色动兰竹，雪吹老干撑松杉。最宜华烛烧春夜，千枝万蕊发翠颜。元明旧迹共涂视，转觉黯然神色减。"

汤鹏创制铁画山水，曾得画家萧云从(字尺木)指导，赠以画稿。从云，芜湖人，工山水人物，首创姑熟画派。新安画派名家渐江,曾学画于萧氏。韦谦恒作《铁画诗》序云:“汤鹏擅作铁画,惜山水未能也,往诣萧尺木,求其稿,今所见,萧画也。”萧、汤协作,珠联璧合,成为珍品,传为佳话。

汤鹏铁画,约分四类。一是尺幅小景。画幅一尺左右,嵌进红木框里,以素绢作衬底,挂于墙壁,黑白相映,分外显目。二为铁画灯。以四至六幅铁画合嵌而成,用云板制成画框,或以云母装饰,镀金雕玉镶嵌,蒙上素绢或茧纸,中燃银烛,光彩夺目。三系铁画屏风。以竹木作框架,中嵌铁画;有四、六、八扇之分。四乃铁字。将古今书法家手迹锻成铁字。

清代至民国,由于战乱,铁画业日趋萧条;1949年芜湖市仅剩艺匠储炎庆一人。建国以后,成立了芜湖市工艺美术厂,恢复铁画生产,创制优质新作。1958年,铁画《黄山莲花峰》等作品,参加匈牙利举办的塑造艺术展览会,赢得佳评。次年,铁画《松鹰、花蝶》和《牛郎织女笑开颜》,选送法国参加世界和平理事会举办的国际博览会,再获盛誉。1961年,巨幅铁画《迎客松》陈列于北京人民大会堂安徽厅,观者无不赞美。

1979年以来,芜湖铁画更加发展,新创洁白瓷板为衬底,画面更加显目;继又研制彩色铁画,采用烘漆新工艺,使之免锈。日本著名画家东山魁夷倾心称道:“把铁锻成画,这是中国艺人的伟大创造。我是画家,但我无法达到这种高超的艺术水平!”

后　记

笔记是富有特色的文学体裁。它题材广泛，篇幅短小，多记述轶闻，为史书所不载，确有弥补史传缺漏的价值，可惜清末以来撰者渐少。

为弘扬民族文化，繁荣笔记文学，在中央文史研究馆的倡导下，由各省文史馆共编《新编文史笔记》丛书。现在安徽分册《江淮逸闻》已经问世。

本书作者多为文史馆员和专家学者。根据全国《笔记》丛书编辑部的部署，自 1990 年 4 月至 1991 年 6 月，我们以省文史馆为主，首先整理馆藏存稿。同时到省内十个县、市和安徽大学、安徽师大等大专院校，向文史界耆宿和教授们广泛组稿。时近两年，共集文稿千篇以上，从中筛选出九十余篇，编成此书。

本书大部分稿件是作者根据亲见、亲闻、亲历的资料写成的，内容丰富，具有史料性和可读性。书中所收自清末至解放前的著名人物不下数十人,如彭玉麟、刘铭传、秋瑾、孙中山、陶行知、陈独秀、冯玉祥、张治中、田汉、郁达夫、张恨水、蒋经国、张灵甫等,他们那些鲜为人知的轶事,都有较高的史料价值。

其他如对邓石如的书法,虚谷、黄宾虹的绘画,徽剧和黄梅戏的发展,黄山和齐云山的风景,以及舒席、宣纸、宣笔、徽墨、歙砚等的介绍及有关资料,尤有安徽特色。

本书编辑伊始,经费、人力并皆缺乏,可谓荜路蓝缕。由于编委陈基余、李建功、高家瑞、黎洪(编审)、孟醒仁(编辑部主任)、张珊、李明渊、王刚、王成志、张杰等同志的共同努力,终于完成任务。定稿之时,蒙全国《笔记》丛书编辑部姚以恩主任和富寿荪编审亲临指导,使本书增色不少。本书蒙著名书法家葛介屏先生题写书名,王正孝、程仲英、王晓拂、查若权、何晓履、赵成功、萧承震、胡靖国诸先生鼎力襄助,以及各地供稿者踊跃支持,谨表示衷心感谢。疏误之处,希望广大读者指正。

编　者